Leni Fiedelmeier

W0039215

Ponys und Zwergesel

Vorschläge zur Haltung und Pflege

Mit 28 Fotos auf Kunstdruckseiten

Lehrmeister-Bücherei Nr. 30

Albrecht Philler Verlag · 495 Minden

Bildnachweis

Andersen: Foto 10; Conti-Press: Foto 27, 28; dpa-Bild/Votava: Foto 24, 25; Fahr: Foto 5; Herford: Foto 12; Küppers: Foto 13; Landentwicklung: Foto 4, 6; van Lew: Foto 22; Retzlaff: Foto 7; Schaefer-Girl: Foto 11; Schiffer: Foto 17, 20; Tiedemann: Foto 9.

Alle übrigen Schwarzweißfotos sowie das Farbdia für den Umschlag stammen von der Verfasserin.

Satz: Bad-Druckerei, Bad Oeynhausen
Druck: Albrecht Philler Verlag, Minden
Bindearbeiten: Wilhelm Altvater, Todtenhausen
ISBN 3 7907 0030 4
272125

Inhaltsverzeichnis

Die Ponys

„Mamacsi, kauf' mir ein Pferdchen!"

Das war einmal der Titel eines erfolgreichen Schlagers. Und es ist ein verständlicher Kinderwunsch, wenn man an die reizenden Ponyfohlen denkt, oder wenn Kinder ihre Altersgenossen als stolze Ponyreiter bewundern können. Weniger verständlich ist allerdings, mit welcher Unbedarftheit „Mamacsi" oder „Papacsi" diesem Wunsch dann manchmal nachkommen. Da wächst ein bißchen Rasen ums Haus — und das genügt nach der naiven Auffassung vieler, um so ein Minipferdchen zu halten, denn: *Ponys sind genügsam, sie brauchen kaum Futter, keinen Stall, machen kaum Arbeit und verursachen kaum Kosten.*

Diese für die Pferdchen so verhängnisvolle Auffassung ist leider weit verbreitet. Dann wird also ruck-zuck ein Pony gekauft. Es soll nicht so teuer sein. Also kauft man, da ja völlig ahnungslos, einen Jährling. Daß das Tier noch einige Jahre nur Futter kostet und keinesfalls gleich geritten oder gefahren werden dürfte, sagt der Verkäufer nicht. Also werden auf das Pferdekind die Menschenkinder losgelassen. Sie setzen sich drauf, hauen dem armen Vieh die Hacken in die Flanken, wie sie es so wunderbar auf dem Bildschirm sehen, und spielen „Wilder Westen" — immer vorwärts im Caracho . . . Den Kindern ist kein Vorwurf daraus zu machen, es sagt ihnen ja niemand, wie es richtig wäre. Aber da das junge Tier so etwas natürlich nicht lange aushält, lahm oder sonstwie krank wird, verlieren die Kinder an dem nun nutzlosen „Spielzeug" die Lust. Oder den Eltern dämmert, daß es mit „kaum Kosten" doch nicht getan ist. Dann wird das Pony ebenso schnell abgeschafft, wie es gekauft wurde. Der Traum ist aus.

Aber es geht auch anders. Und vor allem sind Ponys nicht nur Kinderpferde. Informiert man sich vorher eingehend, was ein Pony braucht, welche Arbeit man hat, welche Kosten entstehen, dann wird der Ponytraum schöne Wirklichkeit und entwickelt sich nicht zum Alptraum. Ob Kind oder Erwachsener: An einem richtig gehaltenen Pony wird jeder Freude haben.

Ponys können robust gehalten werden

Die den eigentlichen Wildpferden noch sehr nahestehenden Ponys können besonders einfach gehalten werden. Sie verursachen dann tatsächlich sehr viel weniger Kosten als ein Großpferd, da weniger Aufwand nötig ist. Aber man muß sie natürlich auf die richtige Weise „robust" halten!

Und eben daran hapert es so oft, weil Unkundige „robuste" Haltung mit schlichtweg jämmerlicher Haltung verwechseln.

Zu diesem Thema möchte ich wörtlich und ausführlich Ursula Bruns, Deutschlands berufenster Fachfrau in puncto Ponyhaltung, das Wort geben. Sie schreibt in ihrer Zeitschrift

„Pony-Post / Freizeit im Sattel" Nr. 2/72 folgendes:

„Wozu Robustpferde nicht robust genug sind — oder: Wie dumm doch Menschen sein können. Eine traurige Betrachtung und ein energischer Protest!

Jawohl, ich muß protestieren. ‚Aber Sie haben doch immer gesagt, daß Robustpferde draußen leben können — — daß sie keinen Stall brauchen — — daß sie keinen Hafer brauchen — — Sie haben gesagt, daß Pferde, die schon als Fohlen ganzjährig im Freien leben, auch später ohne festen Stall gehalten werden können . . .'

Ja, das habe ich gesagt, und dagegen protestiere ich auch nicht. Meine eigenen Robusten leben so. Soweit ist alles in Ordnung.

Aber es ist einfach unfaßbar, unter welchen Umständen Gespräche wie das obige oft zustande kommen. Etwa, wenn ich mit Leuten spreche, die im Ruhrgebiet, an einer trostlosen Straßenkreuzung, über die Tag und Nacht der Verkehr donnert, auf einer kahlgefressenen „Weide" von 200 qm, ohne Hütte oder auch nur einen Strauch, ein trostloses, unglückliches Robustpferd halten, das wahrscheinlich besser tot wäre als hier lebendig.

Oder wenn ich am Niederrhein entsetzt darauf hinweise, daß die 20 Morgen Flußwiesen, auf denen ein halbes Dutzend Shetlandponys überwintern, ebenfalls keinen Unterschlupf und keinen Baumschutz aufweisen und dazu noch versumpft und so naß sind, daß die Tiere bis an die Fesseln im Wasser stehen — wochenlang.

Oder wenn in den Bergen ausgerechnet ein Nordosthang als Winterquartier ausgesucht wurde, über den der Wind pfeift — bis hinein in die Hütte, die mit der Öffnung ebenfalls nach Nordosten zeigt.

Oder wenn — irgendwo — die sogenannte Weide nicht nur hängig und windig, sondern auch noch rutschig ist, wenn im Lehm die Ponyhufe keinen Halt mehr finden, wenn die unseligen Geschöpfe nirgends eine Ecke finden, in der sie trocken werden, fest stehen und in Ruhe fressen können.

Oder wenn ich schon von weitem rieche, daß das Heu in der Raufe modrig ist, verfault, verschimmelt. Oder wenn es gar am Boden verfüttert wird und so nachlässig, daß die Tiere es unter die Hufe treten, hineinmisten und dann nach Tagen doch noch fressen, aus Hunger. Oder wenn das Wasser im Behälter so dick zugefroren ist, daß es die Pferde nicht mehr aufschlagen können und sie durstig danebenstehen, die Köpfe ergeben gesenkt. *Hier* muß ich protestieren! Nie habe ich gesagt, daß Robustpferde so etwas aushalten: Schlechte Weiden, zu kleine Ausläufe, nasse Böden, schlüpfrige Hänge, Hütten mit der falschen Öffnung, fauliges Heu, vereistes Wasser, ja schon die Einsamkeit auf der Weide, schon den Lärm und Gestank verkehrsreicher Straßen können alle unsere Robusten nicht vertragen.

Vernünftige Menschen können auch den Begriff ‚Robustpferd' nicht so auslegen. Es gehört faustdicke Dummheit und Unmenschlichkeit dazu, irgend einem Lebewesen — sei es was auch immer — solche lebensunwürdigen Umstände zuzumuten.

Doch es kommt noch besser. (Anmerkung der Verfasserin: hier müßte es besser ‚schlechter' heißen . . .)

Da wird im Winter an krachendkalten oder unangenehm naßkalten Tagen und sogar Abenden drauflos geritten, was das Zeug hält — damit die Reiter nicht frieren. Da kommt man auf dampfendem Pferd heim, macht schnell Sattel und Zaumzeug los, wirft es hinter die nächste Tür (damit das teure Leder nicht verregnet, immerhin) und schickt die Tiere hinaus in die Kälte, die Nässe der Nacht — denn Robustpferde ertragen ja den Regen, sind ihn ja gewöhnt.

‚Ja, das sagen Sie doch immer . . .'

Erlebte ich es nicht, ich würde es nicht für möglich halten. Und ich habe es *nicht* gesagt. Ich habe das Gegenteil gesagt, seit fast 20 Jahren x-mal wiederholt: so was vertragen Robustpferde *nicht*! Sie vertragen es nicht, naßgeschwitzt in die Kälte entlassen zu werden (wo sie bis zum Mittag des nächsten Tages nicht mehr trocken werden können), sie vertragen es nicht, mit durchnäßtem Fell stundenlang im Regen, im Wind auf Reiter zu warten, die sich seelenruhig in der Kneipe die nötige Wärme für den Heimritt antrinken und dann im Galopp abbrausen und . . . siehe oben . . .

Und so wiederhole ich abermals, was ich wohl gesagt habe und wozu ich, nach 20 Jahren der Erfahrung, voll und ganz stehe: Pferde sind Weidetiere, Herdentiere und sehr naturverbundene Tiere. Gehören sie den Robustschlägen an, so lieben sie es, ganzjährig draußen zu leben, *wenn*

- ihr Weidegrund groß ist, mindestens ein halber Hektar für ein einzelnes Pferd,
- die Weide trocken ist, ohne Staunässe, ohne lehmige oder sumpfige Stellen, denen sie nicht ausweichen können,
- sie genügend Wetterschutz in Form einer vernünftig plazierten Hütte (Öffnung nach Süden), eines großen, dichten Waldstücks oder hoher Hecken haben,
- sie ihr reichliches Zufutter in Form von gutem Heu und Stroh an trockener, geschützter Stelle vorgelegt bekommen und so, daß sie es ohne Schaden an ihrer Gesundheit zu sich nehmen können,
- sie stets und jederzeit Zugang zu frischem Wasser haben,
- ihre Weide regelmäßig gepflegt und von Kot befreit wird,
- sie regelmäßig — mindestens dreimal im Jahr — entwurmt werden.

Unter diesen Mindestvoraussetzungen der Haltung überwintern sie gesund und wohlbehalten und mit einem Minimum an Pflege, *vorausgesetzt*

- daß sie nicht unvernünftig oder rücksichtslos gebraucht werden!
- Daß sie in der heißen Jahreszeit vor dem Ritt gegen Fliegen eingerieben werden!

- Daß sie in der kalten Jahreszeit nicht so stark geritten werden, daß sich in der Unterwolle der aufsteigende Schweiß festsetzt!
- Daß sie unter keinen Umständen in die Nacht hineingeritten und dann auf die Weide entlassen werden, wo sie zehn Stunden nicht trocken werden können!
- Daß sie, werden sie doch einmal naß, im Unterstand angebunden werden (vor einer Krippe mit gutem Heu) und erst völlig getrocknet wieder hinausgelassen werden!
- Daß man sie dauernd im Auge behält und bei Anzeichen von Krankheit den Tierarzt ruft.

Auch das sind noch jene Mindestbedingungen, von denen die Rede ist, wenn die einfache Haltung von Robustpferden erwähnt wird. Unter das Existenzminimum zu gehen, ist grobe Tierquälerei!

Wo immer Pferde mit dem Existenzminimum auskommen müssen, und sei es auf der schneesturmgepeitschten Insel Island, sei es in den ewigen Regenböen Shetlands, sei es in den Weiten Sibiriens, haben sie reichlich Wanderraum, können sie für sie ungünstigen Bodenverhältnissen ausweichen, finden sie zwischen Hügeln, im Gebüsch, an Flußufern Windschutz, gibt es unter dem Schnee genügend (wenn auch mühsam gesuchtes) Futter und werden sie nicht von Menschen willkürlich zu Arbeiten verwendet, die sie schutzlos machen gegen die Witterung. Wenn in diesen und ähnlich extremen Ländern Pferde gebraucht werden, *kümmert man sich anschließend um sie:* läßt sie im Unterstand trocken werden, füttert zu, gewährt ihnen den Schutz von Stall, Hauswand oder ähnlichem.

So können Robustpferde robust gehalten werden — und nur so!"

Klarer und eindringlicher als Ursula Bruns in diesem Artikel kann man nicht sagen, was für ein Robustpferd zumutbar ist und was nicht. Sie *sind* wetterhart, anspruchslos und leistungsfähig — eben „robust", aber nur, wenn ihre Robustheit nicht durch falsche Haltung und Behandlung untergraben wird.

Wer diese beiden Kapitel mit der nötigen Aufmerksamkeit liest, kann schon einigermaßen übersehen, ob er es verantworten kann, ein Pony zu halten.

Verantworten dem *Tier* gegenüber, dessen Wohl und Wehe gänzlich von uns Menschen, von unserem Verantwortungsgefühl abhängig ist.

Was vorher zu bedenken ist

Hat eigentlich *ein* Mitglied Ihrer Familie schon Umgang mit Pferden gehabt, kann reiten, fahren, satteln, anspannen und weiß mit der Pflege Bescheid? Oder steht anderenfalls in unmittelbarer Nachbarschaft ein in all diesen Dingen erfahrener und zuverlässiger Berater solange praktisch täglich zur Verfügung, bis die Familie richtig angelernt ist?

Ist nichts davon der Fall, könnte einer aus der Familie mehrere Wochen auf einen gut geführten Ponyhof geschickt werden, um wenigstens das Nötigste zu lernen.

Einer jedenfalls muß Bescheid wissen — sonst lasse man die Finger vom eigenen Pony!

Was nicht heißt, daß man nun für alle Zeiten auf dieses Vergnügen verzichten müßte. Aber man muß auf jeden Fall erst die Basis schaffen, auf der allein eine erfreuliche Ponyhaltung möglich ist. Den Umgang mit Pferden, das Reiten und eventuell auch Fahren kann man in jeder guten Reitschule lernen, natürlich auch an und mit Großpferden und später dann auf ein Pony „umsteigen". Fühlt man sich dann einigermaßen sicher im Umgang mit den Rössern, kann der Plan, ein eigenes Pony zu halten, aus der Schublade geholt und erneut diskutiert werden.

Verschwenden Sie nun einige Gedanken daran, zu welchem Zweck das Pony dienen soll:

- Reitpferd nur für Kinder (kleine oder größere?)
- Familienreitpferd (also auch für Erwachsene)
- Reit- und Wagenpferd (sehr zu empfehlen!)
- Nur Wagenpferd
- Nebenbei auch zur Zucht
- Nur zur Zucht.

Selbst wenn „nur" ein Kinderpony angeschafft werden soll, m u ß jemand da sein, der etwas von Pferden versteht und das Kind anleiten kann, damit es nicht zu den im ersten Kapitel geschilderten und leider nicht aus der Luft gegriffenen Zuständen kommt. Die kleinen Pferdchen mögen wie ein süßes Spielzeug aussehen — aber sie sind kein Spielzeug!

Selbstverständlich muß ein Kinderpony ganz besonders gutartig, scheufrei, geduldig und nicht zu temperamentvoll sein. Wenn häufig voller Verzückung und ganz allgemein von den „gutmütigen Ponys" gefaselt wird, ist das eine gefährliche Verharmlosung! Gerade Ponys können einen eisernen Dickschädel haben und ausgemachte Schlitzohren sein. Sie versuchen nicht nur, stur ihren Kopf durchzusetzen, sondern sind manchmal auch verflixt schnell mit einem schmerzhaften Biß oder gut gezielten Hufschlag bei der Hand. Auf eine vermeintliche Gefahr oder ein Ungemach reagieren sie schneller und energischer als hochgezüchtete Großpferde, weil sie noch urtümlichere Instinkte haben und konsequent danach handeln. Und darum ist es nicht zu verantworten, jedem Pony das Etikett „Gutmütig" wie eine Fabrikationsmarke anzuhängen.

Pferdchen, die als „ganz besonders fromm" angepriesen werden, sollten auf jeden Fall von einem Pferdekenner — ich betone noch einmal *Kenner* — in Augenschein genommen werden. Lammfromm wirkt auch das unterernährte oder / und überanstrengte Pferdchen, weil es ganz einfach zu erschöpft ist, um Temperament zu zeigen. Hat man es dann herausgefüttert, entwickelt es sich plötzlich zu einem kleinen Satan, ist vielleicht sogar regelrecht bösartig, weil es sich nur zu gut auf alle ihm durch Menschen zugefügte Unbill besinnt und mit den Zweibeinern nicht mehr viel zu tun haben möchte. Aber über solche Dinge reden wir später noch im Kapitel über den Kauf.

Gutmütig und frei von Mucken muß auch das Familienpony sein, denn es hat sich ja vermutlich mit sehr unterschiedlichen Temperamenten bei seinen Reitern abzufinden. Und natürlich muß es zu jenen Ponyrassen gehören, die auch für einen erwachsenen Reiter „stabil" genug sind. Darüber erfahren Sie im Kapitel über die Ponyrassen mehr.

Merken Sie sich an dieser Stelle aber etwas Grundsätzliches: Je weniger „Pferdeverstand" in Ihrer Familie vorhanden ist, um so zuverlässiger und ruhiger sollte das Pony sein. Kaufen Sie getrost ein gesundes, älteres, schon ein wenig „abgeklärtes" Pferd. Die vor Temperament sprühenden Jungen bleiben besser erfahrenen Reitern vorbehalten. Sie bekämen nur Verdruß durch so einen unüberlegten Kauf!

Wollen Sie das Pony auch anspannen, muß es bereits sicher im Wagen gehen. Als Neuling bringen Sie kaum das nötige Geschick auf, ein Pony selbst fachgerecht einzufahren. Das endet mit zertrümmertem Wagen und einem verstörten, bockbeinigen Pony.

Man muß nicht unbedingt reiten, um Freude an Ponys zu haben. Ein flotter Ein- oder gar Zweispänner ist eine herrliche Sache und ermöglicht auch denen den intensiven Umgang mit Ponys, die nicht reiten können, wollen oder dürfen. Als Wagenpferde sind Ponys aller Größen geeignet, selbst Shettys reichen dann für einen Erwachsenen aus.

Wenn Sie eine Stute kaufen, keimt früher oder später unweigerlich der Wunsch nach einem Fohlen auf. Widmen Sie dieser Möglichkeit einige Überlegungen und — wenn's darzustellen ist — einen etwas höheren Preis. Dann können Sie nämlich eine eingetragene, mit Brand und Papieren versehene, zur Zucht angekörte Stute kaufen, deren Fohlen später entsprechend mehr wert sind. Vorausgesetzt natürlich, sie wurde vom „richtigen" Hengst gedeckt.

Will man überhaupt nur züchten, vielleicht, um vorhandenes Gelände nutzbringend zu verwenden oder auch ganz einfach aus „Spaß an der Freud'", ist es eine Selbstverständlichlichkeit, daß man dafür nur angekörte Stuten und Hengste kauft. Hier darf es auf einige Tausendmarkscheine nicht ankommen, das wäre am falschen Ende gespart.

Das sind Überlegungen zur Ponywahl.

Ob die vorhandenen Haltungsmöglichkeiten ausreichen, können Sie anhand des vorigen Kapitels genau überprüfen. Aber vergessen Sie dabei nicht, daß für die Winterfütterung eine nicht unerhebliche Menge Heu und Stroh so eingelagert werden muß, daß nichts verdirbt!

Es ist natürlich am schönsten, wenn man sein Pony in unmittelbarer Nähe seines Hauses unterbringen kann und so ständigen Kontakt mit ihm hat. Aber diese Ideallösung ist einfach nicht immer möglich, für den Städter zum Beispiel sicher nicht. Dann muß man nach der zweitbesten Lösung suchen: das Pony möglichst nahebei aufs Land in Pension zu geben. Viele Bauern bieten das heute an, denn sie halten selbst immer weniger Vieh und haben die Ställe leerstehen. Aber gucken Sie sich alles sehr genau an — die Unterbringung, die Weiden, und nicht zuletzt den Bauern. Sie werden Ihr Pferdchen wahrscheinlich immer nur an den Wochenenden sehen und müssen sich an den anderen vier oder fünf Tagen darauf verlassen können, daß das Tier in jeder Beziehung zu seinem Recht kommt!

Und dann können Sie Ihr Pony natürlich auch in einer städtischen Reitschule in Pension geben. Der Vorteil wäre, daß Sie es täglich reiten könnten. Der Nachteil — neben ziemlich hohen Kosten —, daß das Pony wie jedes Großpferd und nicht wie ein Robustpferd gehalten wird.

Ein Pony — was ist das eigentlich?

Ein Pferd, ohne Zweifel. Auch wenn manche allzu einseitig orientierten Großpferdfreunde diese Behauptung milde belächeln. Dabei sind Ponys unzweifelhaft viel früher „dagewesen" als die großen Rösser, zu deren Vorfahren eben die Ponys zählen.

Die Wildpferde waren schon in grauer Vorzeit genau das, was wir „Pony" nennen, und nicht etwa große Pferde. Höhlenzeichnungen, die unter anderem auch Pferde darstellen und aus der Altsteinzeit stammen, beweisen es. Bei ihrem Anblick kann man nur staunend feststellen: So sehen ja noch heute viele Ponyrassen aus!

Ponys sind also kleine Pferde. Da nun irgendwo eine Grenze gezogen werden mußte, bis zu wieviel Zentimetern Größe der Begriff „Pony" zu gelten hatte, entschloß man sich zu folgendem: Was über 147 Zentimeter Widerristhöhe (Stockmaß) hinauswächst, ist kein Pony mehr.

In Deutschland unterschied man einige Zeit sogar noch zwischen „Pony" und „Kleinpferd". Pony hieß, was unter 120 Zentimeter klein war, Kleinpferd wurde genannt, was zwischen 120 und 147,3 Zentimeter groß war. Wobei ich, man verzeihe mir meine Heiterkeit, die „3" nach dem Komma besonders witzig finde. Man bedenke: drei *Millimeter* sollen da eine Rolle spielen!

Die Einteilung in Ponys und Kleinpferde entfiel 1960 wieder, denn international kennt man nur den Begriff „Pony".

Fazit: Ihr Pferdchen ist ein Pony, wenn es die genehmigten 147 Zentimeter nicht überschreitet. Logischerweise müßte es ab 148 Zentimetern also ein Großpferd sein . . .

Ich hatte einmal eine 155 Zentimeter große Fuchsstute. An meine stets über 175 Zentimeter messenden Reitpferde gewöhnt, war „Tosca" für mich nur ein etwas groß geratenes Pony, aber beileibe kein Großpferd. Es kommt eben immer auf den persönlichen Standpunkt an, und Sie dürfen Ihr Pony auch dann noch als Pony bezeichnen, wenn es ein bißchen zu groß geraten sein sollte.

Will man allerdings züchten, *dann* sind selbstverständlich die vorgeschriebenen Zentimeter verbindlich, sonst wird weder die Zuchtstute, noch der Hengst, noch der Nachwuchs angekört beziehungsweise eingetragen. Das hat einen tieferen Grund. Wäre bei den Ponyrassen kein Größenlimit gesetzt, hätte man bald Shettys in Haflingerformat, und aus Haflingern würden Großpferde.

Ein gewisser Spielraum ist natürlich gegeben, wieviel, ersehen Sie bei der nun folgenden Vorstellung der bei uns am häufigsten vertretenen Ponyrassen aus den einzelnen Steckbriefen.

Gesucht wird: Das ideale Pony

48 europäische Ponyrassen führt Alfred Brauchle in seinem hübschen Buch „Große Liebe zu kleinen Pferden" auf. Wollte man alle Ponyrassen der Welt erfassen, kämen noch sehr viel mehr dazu. Da dies Büchlein aber kein Lexikon der Ponyrassen ist, sondern Informationen über Ponyhaltung geben will, picke ich aus der großen Zahl jene Ponys heraus, die sich bei uns gut eingebürgert haben. Eine Beschreibung dieser bekanntesten Ponyrassen gehört natürlich zur Information, denn man will ja wissen, was von den einzelnen Rassen zu erwarten ist.

Wenn Sie die Steckbriefe aufmerksam lesen und dann noch beherzigen, was im Kapitel über den Pferdekauf steht, haben Sie gute Aussichten, das für Sie ideale Pony zu erwischen.

Den Vortritt sollen die Kleinsten haben, die Shettys.

Shetlandpony

Die ewig von rauhen Winden umwehten, kargen Shetland-inseln, nordöstlich von Schottland gelegen, sind die Heimat dieser Zwerge unter den Pferden. Seit wann es die Pferdchen dort gibt, ist nicht genau zu klären, mit Sicherheit aber seit mehr als 2000 Jahren.

Und das ist ja auch schon eine ganz schöne Zeitspanne! Unter den erbärmlichen Lebensbedingungen „schrumpften" offenbar die nach den Inseln gekommenen Ponys noch ein bißchen. Der Pferdezwerg der Shetlandinseln, unter 100 Zentimetern „groß", entstand. Ein Zwerg von unglaublicher Robustheit und Kraft, der den Menschen auf ihren weglosen Inseln als trittsicherer Schwerlastenträger diente und bei seiner harten Arbeit nie Sicherheit noch Ruhe verlor.

Der Ruhm der leistungsfähigen, intelligenten Zwergpferde drang nach England vor und hatte zur Folge, daß viele von ihnen unter der Erde verschwanden: sie wurden „bevorzugt" als Grubenpferde in den Bergwerken eingesetzt. Ein makabrer Vorzug, wenn man sich überlegt, daß diese Geschöpfe, die von der Geburt bis zum Tod nur das Leben in Freiheit kann-ten, hier zu einem Leben in Finsternis verbannt waren. Und man kann den Shettys nur dazu gratulieren, daß sie an *dieser* Stelle von der Technik verdrängt wurden.

Immerhin entdeckte man bei dieser Gelegenheit die ideale Eignung der kleinen Pferdchen, Kinder schon frühzeitig an den Umgang mit Pferden zu gewöhnen. Damit begann der Siegeszug der Shettys durch die zivilisierte Welt, der bis zum heutigen Tag anhält.

In ihrer Urheimat wurde kein Zuchttier über 85 Zentimeter Größe eingetragen. Das hat sich ein bißchen nach oben ver-schoben. Für die in Deutschland gezüchteten Shetlandponys sind folgende Maße als obere Grenze für die Eintragung ver-bindlich:

Sektion A: 101 cm für dreijährige Shetlandponys
106 cm für vierjährige und ältere.

Sektion B: Reinblütige Shetlandponys über 106 bis 117 cm.

Diese Angaben sind immer nur für den Züchter von Bedeutung. Das Shetty des Nichtzüchters darf auch ein paar Zentimeter größer sein.

Als Reitpferd ist das Shetty trotz seiner Fähigkeit, im Verhältnis zu seiner Größe schwerste Lasten tragen zu können, nur für Kinder geeignet. Als Wagenpferd werden sie auch den Erwachsenen erfreuen. Ich besinne mich noch gut auf die herrlichen Shetlandponygespanne des rheinischen Züchters Bongardt. Vor dem 2. Weltkrieg erregten sie vom Einspänner bis zum Sechsspänner auf allen Turnieren das helle Entzücken des Publikums. Und auch heute noch — oder wieder — stiehlt ein flottes Shettygespann jedem Großpferdgespann die Schau!

Für Ihre Kinder sollten Sie eine Stute oder einen Wallach kaufen, auf keinen Fall einen Hengst. Hengste gehören nicht in Kinderhände, denn sie sind durch ihre Hengstmanieren unberechenbar. Setzt ein Hengst seine enorme Kraft ein, kann kein Kind ihn halten!

Das ursprüngliche Shetlandpony wirkte wie ein Kaltblüter in Miniaturformat. Dieser Typ ist nicht mehr gefragt. Das heutige Shetty soll schnittig wirken, einen nicht zu schweren, edlen Kopf mit spitzen „Mäuseohren", große, klug blickende Augen und ein flottes Gangwerk haben. Trippelschritte sind unerwünscht.

Als Arbeitspferd kommt dem Shetlandpony zumindest bei uns keinerlei Bedeutung mehr zu. So bleibt ihnen nur die Laufbahn als Freizeitkamerad, und die dürfte diesen bewundernswerten Zwergpferdchen sicher sein, solange es überhaupt Pferde gibt.

Welsh Mountain / Welsh-Pony

In den Bergen der Waliser Landschaft leben seit über tausend Jahren die Welsh-Mountain-Ponys, zähe, halbwilde, genügsame Pferdchen, die bis zu einer Größe von 122 Zentimetern in das Zuchtbuch eingetragen wurden.

In den fetteren Weidegründen der Täler wuchsen die Ponys aber auch ein bißchen über dieses Maß hinaus, und da von den hübschen Ponys sowieso ein etwas größerer Typ begehrt wurde, fügte man dem Zuchtbuch die Sektion B für Welsh-Ponys (ohne das Wort „Mountain" dazwischen) bis 138 Zentimeter Größe an.

Daß bei den Waliser Ponys seit langem Araberblut eingekreuzt wurde (und noch heute wird), sieht man ihnen an. Sie haben kleine, edle Köpfe, manchmal mit leicht eingedrückter Nasenlinie, einem typischen Merkmal des Araberkopfes. Ihr Gangwerk ist energisch und frei, sie gehen gleich gut unter dem Sattel wie vor dem Wagen, wobei der größere Typ, also das Welsh-Pony, auch durchaus für leichtgewichtige erwachsene Reiter geeignet ist. Man sagt den Welsh-Ponys einen sehr sanftmütigen Charakter nach — wobei ich nachdrücklich auf das Sprichwort hinweisen möchte, das von den „Ausnahmen, die die Regeln bestätigen", spricht.

Das sehr hübsche Pony gewinnt in zunehmendem Maße auch bei uns Freunde und Züchter.

New-Forest-Pony

Der New Forest ist ein großes, in Staatsbesitz befindliches Gelände, das schon vor 900 Jahren zum königlichen Jagdrevier erklärt wurde. Nach diesem ausgedehnte Wald- und Heidegebiet von Hampshire heißen die dort halbwild lebenden Ponys „New-Forest-Ponys". Seit 1910 gibt es für diese Rasse ein eigenes Stutbuch.

Das New-Forest-Pony führt viel Blut anderer Ponyrassen, ohne daß man deswegen von „Kreuzungen" sprechen kann, weil alle englischen Ponys von den bereits in vorgeschichtlichen Zeiten in Britannien vorkommenden Wildponys abstammen. Aber den New-Forest-Ponys wurde auch „echtes" Fremdblut zugeführt, außer Arabern auch Hackneys und Poloponys. Und das war zuviel, sie verloren ihre Robustheit, die Nachkommen kamen mit den harten winterlichen Lebensbedingungen der freien Wildbahn nicht mehr zurecht und gingen ein. So setzte sich der ursprüngliche, der Umwelt angepaßte Typ wieder durch.

Das New-Forest-Pony darf zwischen 125 und 147 Zentimeter messen, das ist eine ganz erhebliche Größendifferenz. So ist dieses Pony als Reitpferd vom Kind bis zum Erwachsenen hin geeignet. Wie alle halbwild aufwachsenden Ponys ist es sehr trittsicher und hat außerdem sehr schwungvolle Gänge. Es geht unter dem Reiter so gut wie vor dem Wagen, springt gut und sicher und läßt sich, da von bravem Temperament, besonders leicht zureiten oder einfahren. Da der New Forest ein vielbesuchtes, von Straßen durchzogenes Gebiet ist und die Ponys häufig genug am Straßenrand weiden, sind sie von Geburt an mit Menschen und Fahrzeugen aller Art vertraut, was ihnen den wertvollen Ruf verschaffte, besonders „verkehrssicher" zu sein. Wenn das auch auf die dort aufwachsenden Ponys zutreffen mag, so kann man es wohl kaum als Rassemerkmal bezeichnen, denn ich glaube nicht, daß sich diese Unempfindlichkeit gegenüber dem Verkehr *vererbt*. Ein New-Forest-Pony, das irgendwo abgeschieden von der Welt aufwächst, dürfte also durchaus auch weniger „verkehrssicher" sein.

Das nur als Mahnung. Auch Tiere sind absolute Individualisten, und man soll sich vor Verallgemeinerungen hüten.

New-Forest-Ponys sind in England seit langem hochbegehrte Familienponys. Ihre guten Eigenschaften in Verbindung mit dem großen Spielraum von 125 Zentimetern bis zur Grenze der „Ponygröße", ihre Eignung als Kinder- und Erwachsenen-Reitpferd sowie als hervorragendes Wagenpferd läßt sie auch bei uns immer beliebter werden.

Connemara-Pony

Aus Irland kommt das zähe und ansehnliche Connemara-Pony. Mit einer Größe zwischen 132 und 143 Zentimetern ist es ebenfalls ein echtes Familienpony, das sich selbstverständlich nicht nur unter dem Sattel, sondern auch vor dem Wagen bewährt.

Die Eintragungsbestimmungen für das 1923 eröffnete Stutbuch sind besonders streng. Der Nachweis der Abstammung genügt nicht. Jedes Pony wird im Alter von zwei Jahren von einer Zuchtbuchkommission in seiner heimatlichen Umgebung auf Herz und Nieren geprüft. Nur kerngesunde und völlig typgerechte Stuten werden eingetragen. Daß die Zuchthengste ausnahmslos lizenziert sein müssen, versteht sich eigentlich von selbst.

Man hatte auch bei den Connemaras Vollblut und Araberblut eingekreuzt, doch keine befriedigenden Ergebnisse erzielt. Darum sind heute nur noch reinrassige Connemaras eintragungsberechtigt.

Connemaras sind vorzügliche Reitponys und besitzen ein erstaunliches Springtalent. Da sehr großer Wert auf einen besonders guten Charakter gelegt wird, und zwar bei Stuten und Hengsten, ist es kein Wunder, daß die Connemara-Ponys tatsächlich besonders gutartig sind. Das führt in Verbindung mit ihrer Schönheit und Leistungsfähigkeit zu einer steil ansteigenden Beliebtheitskurve dieser Rasse.

Wie alle Ponyrassen, die „von Haus aus" eher karg als üppig leben, neigen auch die fern der Heimat gezüchteten, zu gut gefütterten Connemaras dazu, zu groß zu werden und ihren Typ zu verlieren.

Aber das ist ein Problem, das wiederum nur für den Züchter von Interesse ist.

Island-Pony

Wir kommen nun zu jenem Pferdchen, das — sieht man einmal vom Shetty ab —, bei uns jahrelang als Inbegriff des Ponys schlechthin galt.

Island, im nördlichen Eismeer gelegen, ist eine rauhe, unfruchtbare Insel; Mensch und Tier leben hier unter härtesten Bedingungen. In dem von Fjorden zerrissenen, von eisigen

Gletscherströmen durchzogenen, von Geröll bedeckten Land gab es, wollte man nicht auf den eigenen zwei Beinen gehen, nur noch eine Möglichkeit der Fortbewegung: die vier Beine eines Ponys. Und das seit Wikingers Zeiten. Das Pferdchen mußte mit jedem Gelände und jedem Wetter fertig werden, kräftige Männer durch die unwirtliche Gegend tragen, und zwar auch noch möglichst schnell, und dazu von dem leben, was die Natur hier wachsen ließ. Das ganze Jahr hindurch.

Nur die Härtesten der Harten konnten das verkraften; so fand stets eine mitleidlose natürliche Zuchtwahl statt. Da außerdem schon vor über 800 Jahren die Einfuhr von Pferden verboten wurde, hat der Typ des Island-Ponys keinerlei Wandlung erfahren. Es war und ist ein derbes, typisches „Primitivpony" mit trockenem, etwas schwerem Kopf, kurzem Hals und wenig Widerrist. Seine Größe reicht von 128 bis 143 Zentimeter. Es trägt mühelos selbst stämmige Erwachsene und geht natürlich auch vor dem Wagen.

Darüber hinaus besitzt es noch eine Besonderheit. Neben den drei normalen Pferde-Gangarten Schritt, Trab und Galopp gehen viele Isländer auch Paß und/oder Tölt.

Beim Paßgang fußen stets Vorder- und Hinterbein der gleichen Körperseite gleichzeitig auf, also rechts-rechts, linkslinks. (Kamele und Elefanten sind Paßgänger.)

Beim Tölt übernimmt jeder Fuß für sich auf Sekundenbruchteile allein das volle Gewicht: in Worten schwer zu beschreiben. Aber wer einen echten Tölter geritten hat, ist von dieser Gangart begeistert.

Es gehen aber längst nicht alle Isländer Tölt. Und hat man einen Tölter — der heutzutage einen gepflegten Preis kostet! —, muß man erst lernen, diese Gangart zu reiten. Seien Sie als Anfänger also getrost mit den drei Normalgangarten auch bei einem Island-Pony zufrieden. Weiteres findet sich mit der Zeit!

Der Isländer kann ein recht heftiges Temperament haben. Dazu schreibt Ursula Bruns: „Sie waren Pferde für Männer,

die sich Temperament unter dem Sattel wünschten und entsprechend züchteten."

Kinder, die erst lernen sollen, mit Pferden umzugehen, und
ungeübte Erwachsene müssen bei der Wahl eines Isländers
ein bißchen vorsichtig sein. Wer allzu oft aus dem Sattel
fliegt, verliert als Neuling schnell den Mut.

Norske-Fjord-Pony

Vor etwa 15 Jahren fuhren wir nach Jütland in Urlaub. Kurz
hinter der Grenze schoß ich wie elektrisiert hoch: auf einem
Acker ging vor der Egge ein kleines, bildhübsches Pferd, wie
ich es noch nie gesehen hatte. Ein paar Kilometer weiter
mußte mein Mann halten, denn auf einer Weide graste so
ein Pony mit einem sicher erst wenige Tage alten, fast weißen
Fohlen bei Fuß. Hier schloß ich meine erste Bekanntschaft mit
den Norske-Fjord-Ponys.

Wir beobachteten dann in den nächsten Jahren bei jeder
Reise gen Norden, wie diese Ponys erst in Dänemark immer
zahlreicher wurden, und dann auch über die Grenze nach
Norddeutschland einsickerten. Bei Besuchen ländlicher Reiter-
feste sahen wir sie sogar bei Spring- und Dressurprüfungen.

Heute ist das Fjord-Pony allseits bekannt und beliebt.

Es ist in Norwegen zuhause. Zu seinen Ahnen zählt das
einzige heute noch lebende Wildpferd, das Przewalskipferd,
und wohl auch der ausgestorbene Tarpan. „Verbesserungs-
versuche" durch Einkreuzen eines derberen Pferdetyps ergaben
überwiegend Nachteile, so daß man reumütig zur Reinzucht
zurückkehrte.

Was das Fjordpferd so besonders auffällig macht, ist seine
Falbfarbe. Die Nuancen reichen von hellfalb bis braunfalb.
Immer sind Mähne und Schweif zum Teil weiß. Der schwarze
Aalstrich des Rückens, wie die gelegentliche Zebrastreifung
der Beine ein deutlicher Hinweis auf die Wildpferdabstam-
mung, setzt sich im Mittelteil der Mähne bis zu den Ohren
am „anderen Ende" im Schweif fort. Die Mähne wird nun

so raffiniert geschoren, daß die weißen Seitenhaare etwas kürzer sind als der dadurch hervorgehobene dunkle Mittelstreifen. In Verbindung mit der wirkungsvollen Falbfarbe kann man eigentlich nur feststellen, daß so ein Fjord-Pony rundum schmuck und „appetitlich frisch" aussieht.

Als Größennorm gelten 132 bis 145 Zentimeter. Das Fjord-Pony ist für alles zu gebrauchen: zum Reiten und Fahren, als Tragtier und in der Landwirtschaft.

Züchterisch ist auch hier wieder anzumerken, daß die Nachzucht auf fetten Weiden in milderem Klima eine Tendenz zum Größerwerden zeigt.

Dülmener Pony

Alle Jahre wieder sind die Dülmener „Wildpferde" ein beliebtes Thema der Zeitungen und Zeitschriften. Jeweils am letzten Maisamstag wird die Herde der praktisch wild lebenden Ponys zusammengetrieben, damit die Jährlingshengste herausgefischt werden können. Das große Spektakel zieht stets viele Schaulustige an. Sind alle Hengstlein gefangen, braust die Stutenherde mit den diesjährigen Fohlen bei Fuß zurück in die bedingte Freiheit, um ein Jahr lang nicht mehr von Menschen „belästigt" zu werden. Die Hengste werden versteigert und sind sehr begehrt.

Zweihundert Hektar umfaßt das Reich der Dülmener Ponys im Merfelder Bruch. In diesem Gebiet leben sie frei wie ihre wilden Vorfahren, aber sie selbst sind trotzdem keine echten Wildpferde mehr. Immerhin müssen sie aus eigener Kraft mit Leben und Tod fertig werden: nie wird ein Tierarzt an die Stuten herangelassen. Nur in ganz harten Wintern gibt es Heu als Zufutter; normalerweise leben sie von dem, was die Natur ihnen in ihrem Revier bietet. Allerdings werden die Weiden gedüngt und gepflegt, auch hier hat die absolute „Wildheit" einen kleinen Zivilisationstupfer.

Immerhin leben die Dülmener Ponys hart, und diese Härte läßt nur das Beste überleben.

127 bis 143 Zentimeter messen die Dülmener Ponys. Es sind elegante Kinderreitpferde, die größeren sogar für leichtgewichtige Erwachsene geeignet. Auch im Gespann bieten sie mit ihren guten Gängen ein hübsches Bild.

Wer Zuchtabsichten hat, darf allerdings keinen Dülmener kaufen, denn Stuten werden niemals verkauft.

Der Haflinger

Der bildhübsche Fuchs mit dem attraktiven hellblonden Mähnen- und Schweifhaar ist ein Kind der Berge. Umwelt und Zuchtauswahl formten das kleine Gebirgspferd mit dem unverkennbaren Araberblut-Einschlag, das ebenso sicher schwere Lasten auf schwierigen Bergpfaden tragen wie zuverlässig im Zug sein mußte und muß.

Das Hochland des Etschtales ist die eigentliche Zuchtheimat des Haflingers. Da dieses Gebiet bei der Teilung Tirols an Italien fiel, hatte Österreich einige Mühe, in dem ihm verbliebenen Rest Tirols wieder eine Haflingerzucht aufzubauen. Aus Mangel an Zuchtmaterial wurden andere Rassen eingekreuzt, aber wieder eliminiert, nachdem aus dem Etschtal wieder ausreichend Originalzuchtstuten angekauft werden konnten.

In Bayern konnte man dieses leistungsfähige Bergpony auch gut gebrauchen, und so wurde Mitte der dreißiger Jahre die Zucht von Haflingern in Bayern aufgenommen.

Schönheit, Intelligenz und guter Charakter — ein mit so viel Vorzügen ausgestattetes Pony muß zwangsläufig als Freizeitpferd entdeckt werden. Das zwischen 135 und 145 Zentimeter große Pferdchen eignet sich denn auch für jeden Zweck, es trägt Kinder wie auch Erwachsene und zieht jeden Wagen. Im Gebirge hat es auch seine Bedeutung als Arbeitskamerad noch nicht verloren.

Meine kleine Ponyschau umfaßt acht der bei uns beliebtesten Rassen. Zu erwähnen wären noch die unter dem Sammelbegriff „Deutsches Reitpony" zusammengefaßten Kreuzungsprodukte.

Interessiert sich jemand für eine der vielen hier nicht erwähnten Ponyrassen, kann er sich an folgenden Stellen Auskunft holen:

Arbeitsgemeinschaft der Ponyzuchtverbände
23 Kiel 1, Ziegelteich 10

Redaktion „Pony Post / Freizeit im Sattel"
53 Bonn, Venusbergweg 10

Außerdem steht reichlich entsprechende Literatur zur Verfügung, über die Sie sich im Anhang informieren können.

Über den Kauf

Pferdekauf — ein heikles Kapitel. Bei keinem anderen Geschäft kann man mit so viel Glanz und Gloria auf die Nase fallen. Hauptursache des Malheurs: es ist meist zu viel Gefühl und zu wenig Verstand im Spiel. Ich spreche da, zu meiner Schande muß ich es gestehen, aus eigener trüber Erfahrung. Weil ich mich bis über beide Ohren in einen bildhübschen Schimmel verliebt hatte, übersah ich blind seinen schweren Beinschaden und kaufte ihn. Es war ein ebenso teurer wie hoffnungsloser Reinfall, denn da der Fehler nicht unter die Gewährsmängel fiel, mußte ich voll auslöffeln, was ich mir eingebrockt hatte. Es schmeckte schlecht.

Aus dieser Erfahrung heraus gebe ich den weisen Rat: nehmen Sie unter allen Umständen einen versierten Pferdekenner mit, wenn Sie auf den Ponyhandel gehen. Will mit Ihnen dann die Begeisterung durchgehen, wird er, da gefühlsmäßig unbeteiligt, mit nüchternem Verstand rechtzeitig die Bremse ziehen, falls es nötig ist. Allerdings müssen Sie dann auch auf Ihren Berater hören!

Ein Fachmann erkennt, ob das als fromm und ruhig angepriesene Pony vielleicht nur halbverhungert und darum so „fromm" ist. Möchten Sie ein temperamentvolles Pony, wird Ihr Fachmann ebenfalls erkennen, ob es sich um ein gutartig-temperamentvolles oder etwa um ein durch schlechte Behandlung wild und scheu gewordenes Tier handelt.

Wenn Sie wirklich Freude an Ihrem Pferdchen haben wollen, muß es sich ohne Mucken von der Weide holen, auftrensen, satteln und anschirren lassen. Es soll sich überall am Körper berühren lassen, ohne zu quieken oder gar zu beißen. Es muß ruhig alle vier Beine hergeben, sich die Hufe säubern und beklopfen lassen. Es muß beim Aufsitzen ruhig stehenbleiben und dann willig auf das Zeichen des Reiters hin losgehen, und zwar allein, weg von seinen Genossen. „Klebende" Pferde sind eine Plage, so verständlich bei dem Herdentier Pferd die Sucht nach Gesellschaft auch ist. Selbstverständlich muß die Verkehrssicherheit des Ponys erprobt werden, denn ein Tier, daß vor jedem Trecker oder Moped in Panik gerät, ist in unserer heutigen Zeit als Freizeitpferd untauglich und eine ernste Gefährdung seines Besitzers.

Will man sein Pony fahren, muß es natürlich auch im Wagen auf Herz und Nieren geprüft werden; es genügt nicht nur eine Runde auf dem Hof des Verkäufers!

Schlagende, beißende, scheuende Ponys mögen noch so wunderschön und rassetypisch sein — man läßt sie da, wo sie sind: beim Verkäufer. Man kauft sie auch nicht, wenn man „nur" züchten will. Schlechte Eigenschaften vererben sich ebenso wie gute. Und zum Züchten sollte man immer nur das Beste vom Besten nehmen — auch charakterlich.

Das in die engere Wahl kommende Pony wird vor dem endgültigen Kaufabschluß von einem Tierarzt untersucht, den Sie bestellen, und der etwas von Pferden versteht.

Lassen Sie sich vom Verkäufer nie drängen mit den Redensarten: „Es sind noch viel Interessenten für das besonders schöne Pony vorhanden, greifen Sie rasch zu, sonst ist es weg!" Sagen Sie sich dann kühlen Herzens, daß Ponys nicht „alle" werden — Sie finden garantiert ein ebenso gutes anderweitig.

Ist aber Ihrerseits der Entschluß zum Kauf sicher, stellen Sie dem Verkäufer vor Zeugen noch einige Fragen:

Hat das Pony schon einmal Sommerräude gehabt?

Welche Eigenheiten besitzt es?

Ist es hundertprozentig schmiedefromm?

Letzteres kann man nicht beim Kauf überprüfen. Und mit den Eigenheiten ist es so, daß ein durchaus braves und liebes Pferd doch irgendeinen Tick haben kann. Weiß man das und kann sich rechtzeitig darauf einstellen, ist es halb so schlimm. Eins meiner Pferde scheute vor Lastwagen mit Planen. Vermutlich hatte es sich einmal vor einer flatternden Plane gehörig erschrocken. Ein anderes setzte mich fast ab, als wir an einer kleinen Steinmauer vorbeiritten. Ich hatte den Schimmel ganz neu und stellte nach ahnungsvoller Rückfrage fest, daß er beim Springen über eine Mauer eine schmerzhafte Verletzung davongetragen hatte. In Zukunft wußte ich, daß das ein kritischer Punkt war, und verhielt mich entsprechend.

Bevor ich die Gewährsmängel aufzähle und Ihnen erkläre, was es damit auf sich hat, noch ein sehr, sehr wichtiger Hinweis.

Ponys sind langlebig. Aber dafür sind sie auch spätreif. Wollen Sie Ihr Pony gleich voll nutzen, muß es mindestens volle fünf Jahre alt sein. Mindestens! Es ist eine elende Tierschinderei, die willigen kleinen Pferde, gleich welcher Rasse, schon mit zwei, drei Jahren erbarmungslos in die Mangel zu nehmen. Wie ich schon in der Einleitung sagte, gehören auch Kinder, und seien sie noch so klein, nicht auf den Rücken eines Pferdekindes, und einspannen darf man sie auch nicht. Wer das tut, ist — ich betone es klar und unmißverständlich — ein Pferdeschinder und weiter nichts.

Nun zu den sogenannten „Gewährsmängeln". Das sind Krankheiten, „Hauptmängel" genannt, für deren Nichtvorhandensein der Verkäufer innerhalb einer gesetzlich bestimmten Frist (Gewährsfrist) garantieren muß. Die Gewährsfrist beginnt mit dem Tag, an dem „die Gefahr auf den Käufer übergeht". Das ist fast immer der Tag, an dem der Käufer das Pferd übernimmt, und die Frist beträgt 14 Tage, falls nicht im Kaufvertrag ausdrücklich eine andere Dauer der Gewährsfrist ausgemacht wurde.

Stellen Sie einen dieser Hauptmängel innerhalb dieser Frist fest, müssen Sie das dem Verkäufer sofort per Einschreiben mitteilen und Anspruch auf Annullierung des Kaufs erheben. Es empfiehlt sich, ein tierärztliches Attest beizulegen.

Stellt sich ein solcher Hauptmangel erst *nach* der Gewährsfrist heraus, sind in jedem Fall Sie der Dumme.

Die sechs Hauptmängel sind:

Rotz; eine durch den Rotzbazillus verursachte gefährliche Krankheit, die auch auf den Menschen übergehen kann.

Dummkoller; eine nicht heilbare Gehirnerkrankung.

Rohren; auch Kehlkopfpfeifen genannt, eine schwere chronische Luftröhren- oder Kehlkopferkrankung.

Dämpfigkeit; Atemnot durch chronische, unheilbare Erkrankung von Lunge und Herz.

Periodische Augenentzündung; eine entzündliche Veränderung der inneren Augenteile, die durch Infektionskrankheiten entstehen kann.

Koppen; die Pferde schlucken Luft und neigen dadurch zu Kolik. Geübte Kopper brauchen nicht einmal die Krippe zum Aufsetzen des Kopfes, sie „schlucken den Wind" auch so. Keine eigentliche Krankheit, oft aus Langeweilerei entstehend, besonders bei Pferden, die ständig im Stall stehen. Aber gefährlich wegen der möglichen Folgen.

Das sind also jene Mängel, die ein Pferd nicht haben darf und die einen Rücktritt vom Kauf möglich machen, wenn man den Braten zum richtigen Zeitpunkt riecht . . . Und das ist leider nicht immer der Fall.

Es gibt noch manches andere zu beachten. Wer etwas von Pferden versteht, merkt sofort an ihrem Verhalten, wie mit ihnen umgegangen wird. Kommen sie vertraut heran und lassen sie sich klopfen, ist das schon ein gutes Zeichen. Zucken sie bei jeder Bewegung, die man macht, zurück und reißen den Kopf hoch, ist tiefes Mißtrauen angebracht.

Haarlose Stellen, wunde oder vernarbte Mundwinkel, weiße Haare in der Sattellage, Scheuerstellen an Mähne und Schweif sind alles negative Hinweise.

Nehmen Sie sich Zeit, viel Zeit zum Ponykauf. Fahren Sie mehrmals hin zu verschiedenen Tageszeiten und unangemeldet. Geben Sie sich nicht mit einer Runde im Sattel zufrieden, prüfen Sie das Pferdchen mehrmals auf längeren Ritten im Gelände. Selbst wenn es ein rundum gutes und gesundes Pony ist, liegt Ihnen vielleicht seine Gangart nicht oder Sie fühlen sich auf ihm nicht wohl. Das merkt man nicht bei einem Viertelstundenritt! Sie müssen viel Geld hinblättern für Ihr Pony, denn es ist ein weitverbreiteter Irrglaube, daß Ponys billig sind. Sie kosten fast oder genau ebensoviel wie ein Großpferd, das heißt also, einige Tausender. Da man sich ja nicht gleich wieder von seinem Pony trennen möchte, weil es aus irgendwelchen Gründen eben doch nicht zu einem paßt, was bei zu schnellem Kauf nicht bemerkt wurde, muß man den Ponykauf mit Muße und Geduld tätigen. Nur so kann man ziemlich sicher sein, den idealen Freizeitkameraden zu erwerben.

Fütterung und Pflege

Bei der Beschreibung der Rassen haben Sie immer wieder gelesen, mit welch kargem Futter die halbwild lebenden Ponys auskommen müssen. Das darf nun nicht dazu führen, daß der Ponyhalter jede mit einer paar grünen Hälmchen bewachsene Fläche für eine ausreichende Ernährungsbasis seines Tieres hält. Lesen Sie noch einmal aufmerksam, was Ursula Bruns darüber sagt!

Gute Weide und *gutes Heu* sind die Grundlage der Pony-Ernährung, wobei pro Pony während der Weidezeit eine Fläche von einem halben Hektar zur Verfügung stehen muß. Das sind immerhin 5000 Quadratmeter, eine hübsche Fläche . . . Ist weniger Weidegrund oder nur eine magere Weide vorhanden, muß der Mangel an nahrhaftem Grün durch entsprechendes Zufutter ausgeglichen werden.

Kraftfutter ist nötig, wenn das Pony regelmäßig arbeiten muß; die Menge richtet sich nach der zu erbringenden Leistung. Gibt man zuviel Hafer, in der Meinung, dem Pony damit etwas besonders Gutes zu tun, erreicht man das Gegenteil. Dr. Uppenborn schreibt darüber: „Hafer und Müßiggang können das beste Temperament eines Ponys verderben", und an anderer Stelle: „Man vergesse nie: Hafer wirkt auf Ponys wie Alkohol auf den Menschen".

Nun gibt es heutzutage im Zeitalter der Patentfuttermittel natürlich auch für Ponys ein fertiges Mischfutter, das den Tieren ausgezeichnet schmeckt und gut bekommt. Es enthält außer gequetschtem Hafer, Haferschalen, Weizenkleie, Melasse und Leinsamen noch allerlei Vitamine und Spurenelemente. Ein gutes Zufutter in der grünarmen Winterzeit ist das gepreßte Trockengrün, außerdem natürlich frische Mohrrüben und Rüben. Einwandfreie Gemüseabfälle aus Ihrer Küche können Sie Ihrem Pony ebenso geben wie altes, aber völlig einwandfreies Brot, das keinerlei Schimmelansatz haben darf, und für einige Apfelstückchen ist es Ihnen ebenfalls dankbar!

Die Heumenge, die Sie für den Winter brauchen, können Sie nach folgender Faustregel errechnen: Ein Shetlandpony braucht drei Pfund Heu pro Tag, dazu die gleiche Menge gutes Futterstroh. Größere Ponys sechs Pfund Heu plus Stroh. Mohrrüben und/oder Rüben ergänzen das trockene Futter mit saftigem und gesundem Beiwerk.

Heu und Stroh muß gut und trocken gelagert werden, es darf auf keinen Fall naß werden. Das Heu soll am besten gutes Wiesenheu sein, es muß „duften" und darf weder muffig noch schimmlig riechen. Auch andere gute Heusorten, wie Luzerneheu oder Rotkleeheu, können gefüttert werden, doch genügt für Ponys durchaus Wiesenheu, wenn es einwandfrei ist.

Ich muß wieder einmal zurückdenken an meine Ponys, die ganz und gar nicht zum Spaß da waren, sondern harte Arbeit leisten mußten. Gewiß, gutes Heu hatte ich in Massen, mäßig gute Weide am Gehöft. Aber Kraftfutter, also Hafer, war Mangelware. Mein Shetty Billy kam trotzdem stets auf seine Kosten. Er stahl der Kuh das Futter, wenn ich nicht aufpaßte, leerte die Geflügeltröge und machte zum Entsetzen der Hunde selbst vor deren Futterschüsseln nicht halt. An „ausgewogene Futterprogramme" dachte man nicht, Mensch und Tier mußten mit dem vorlieb nehmen, was gerade vorhanden war. Und sie kamen damit zurecht, Zweibeiner und Vierbeiner.

Für einen Großteil der heute gehaltenen Ponys besteht sicher — genau wie bei Hunden —, eher die Gefahr, daß sie überfüttert, als daß sie zu wenig gefüttert werden.

Niemals sollte ein Salzleckstein fehlen — nicht auf der Weide, nicht im Stall. Und absolut lebenswichtig ist ausreichendes, frisches Trinkwasser.

So viel zum Thema Futter.

Und was braucht ein Pony an Pflege?

Foto 1 Erst wenige Tage ist dieses Shetlandpony alt.

Foto 2 Norske-Fjord-Pony-Stuten mit Fohlen.

Foto 3 Welsh-Mountain-Pony, noch im struppigen Winterhaar.

Foto 4 Hier, auf der Bergweide, sind die Haflinger zu Hause.

Foto 5 Und so leben Islandponys in ihrer Heimat: Kälte und Schnee machen ihnen nichts aus.

Foto 6 Haflinger Jährlinge, die völlig vertraut mit „ihrem" Menschen sind. So sollen Fohlen erzogen werden!

Foto 7 Wer früh mit Pferden umgehen darf, hat gut lachen. Aber man sollte nie die Vorsicht vergessen.

Foto 8 Shetlandponys auf der Weide.

Foto 9 Nur noch selten zu sehen: Huzulen-Ponys.

Foto 10 Bei Ferien auf dem Bauernhof machen Stadtkinder oft ihre erste Bekanntschaft mit einem Pferd: Das Fjordpony frißt aus der Hand.

Foto 11 Abendritt durch das Watt mit Islandponys.

Foto 12
So mißt man die
Widerristhöhe beim
Pony mit einem
Stockmaß.

Foto 13
Ponys — hier ein
Fjordpferd — lassen
sich auch zum
Springpferd
ausbilden.

Foto 14 und 15 Und auch die beiden Shettys tragen ihre Reiterinnen sicher über die Hürden.

Foto 16 Ein flotter Galopp auf ungesatteltem Pferd gibt festen Sitz.

Foto 17 Auch das richtige Vorführen will gelernt sein: im Tempo der Pferde mitlaufen, und nie die Pferde ansehen dabei! Menschen- und Pferdenasen gehören stets nach vorn.

Foto 18   Behutsames Longieren bereitet den Dreijährigen auf den „Ernst des Lebens"
vor.

Foto 19   Einige Monate später: „Fidibus" wird zugeritten. Erst zum sechsten Mal trägt
er das Reitergewicht.

Foto 20 Ein schönes Gespann zu fahren wie diesen Dreierzug Shetlandponys aus dem rheinischen Ponystammbuch, ist auch für Erwachsene ein großes Vergnügen.

Foto 21 „Aber man kann ja auch mal richtig arbeiten", scheint „Olschi" zu denken, die hier ihre Weide eggt.

Foto 22 Wandern zu Pferd — eine neue Form des Urlaubs, frohe Stunden für jung und alt.

Foto 23 Zu Vieren in leichtem Trab durchs Gelände.

Foto 24 Zwergesel sind geduldige Spielkameraden. Aber Fohlen wie diese hier dürfen natürlich weder geritten noch gefahren werden.

Foto 25 So schaut es auf einer Eselfarm aus. Die Tiere, frisch aus Dalmatien importiert, müssen sich erst einer mehrwöchigen Quarantäne in Deutschland unterziehen.

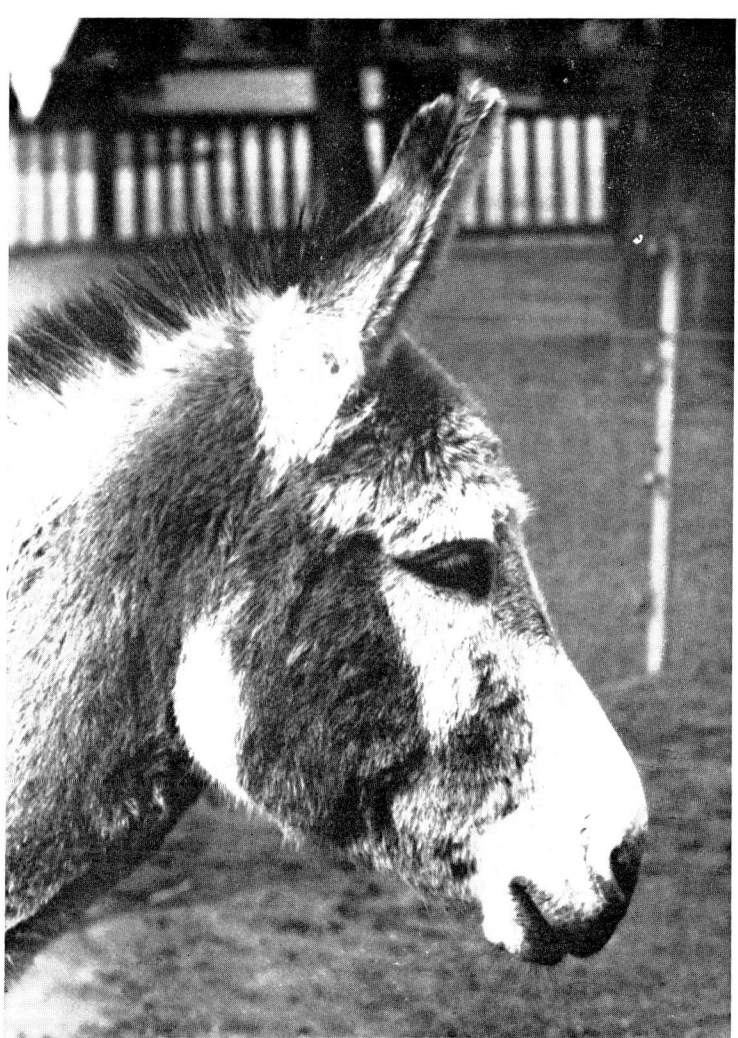

Foto 26 Sehe ich vielleicht „dumm" aus?

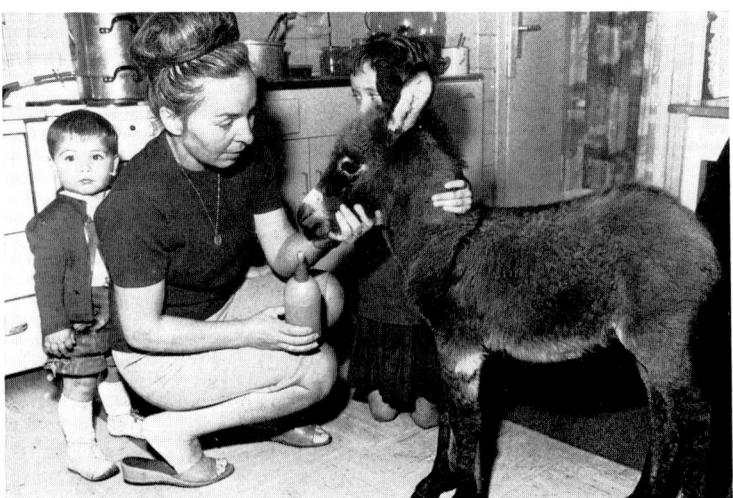

Foto 27 Meist sind Stute und Fohlen nach der Geburt wohlauf . . .

Foto 28 . . . es kommt aber auch vor, daß das Fohlen mit der Flasche aufgezogen werden muß.

Da ist ein deutlicher Unterschied zu machen zwischen dem Weidepony und dem mehr im Stall gehaltenen Pony.

Dem Weidepony darf man seinen naturgewachsenen Pelz nicht zu sehr striegeln, es braucht ihn als Schutz gegen Regen, Sonne und Wind. Dauerndes Putzen würde ihm nur schaden. Wollen Sie reiten oder fahren, putzen Sie den gröbsten Schmutz ab und bringen Sie Mähne und Schweif in Ordnung, das genügt. Im Sommer sieht ja auch das Weidepony durchaus schmuck aus!

Im Frühjahr, wenn der dicke Winterpelz ausfällt und dem Pony im wahrsten Wortsinn das Fell juckt, dürfen Sie allerdings durch häufigeres und kräftiges Putzen nachhelfen, daß die Zotteln verschwinden. Ihr Pony wird Ihnen für die Unterstützung dankbar sein.

Aber wenn Sie das Putzen auch nicht übertreiben sollen, so müssen Sie Ihr Pony doch genau daraufhin beobachten, ob es Scheuerstellen an Schweif oder Mähne hat oder an anderen Körperstellen kahle Flecke auftreten. Das können Alarmzeichen für Wurmbefall, Sommerekzem oder Parasitenbefall sein, und man muß der Sache auf den Grund gehen.

Große Aufmerksamkeit muß der Hufpflege gewidmet werden. Schon beim Fohlen. Und auch bei Ponys, die nur auf der Weide herumlaufen.

Haben Sie schon einmal zu enge, zu weite, drückende, scheuernde Schuhe angehabt?

Na also . . .

Nur kann das Pony sich dann nicht schimpfend der Marterwerkzeuge entledigen, es ist dazu verurteilt, stumm vor sich hin zu leiden.

Geht Ihr Pony viel auf harten Straßen, was bei einem Wagenpferd wohl stets der Fall ist, braucht es auf jeden Fall Hufeisen, die alle vier bis sechs Wochen zu erneuern sind. Eisen, die zu lange draufbleiben, wirken wie die zitierten zu kleinen und zu engen Schuhe! Ponys, die nur geritten werden, kommen meist ohne Eisen aus. Das muß man aber beobachten, denn nicht jeder Ponyhuf ist gleich hart. Läuft ein Pony sich Tragrand und Hufwand zu leicht ab, muß es auch als Reitpony beschlagen werden.

Die Hufe der Weideponys müssen regelmäßig von einem Beschlagschmied nachgesehen und berundet werden.

Das Säubern der Hufe gehört automatisch zum Putzen des Pferdchens. Mit einem Hufkratzer und notfalls einer harten Scheuerbürste reinigt man den Huf, Sohle und Strahl gründlich. Als Huffett dürfen nur tierische Fette verwendet werden. Bei Weideponys kontrolliert und säubert man die Hufe auch etwa alle 14 Tage, schon um die Tiere vertraut zu halten.

Zum Putzen verwenden Sie eine Kardätsche und einen nicht zu scharfen Striegel. Zum Auswaschen von Augen und Nüstern einen Schwamm.

Das naß von der Arbeit zurückkommende Pony wird mit Strohwischen trockengerieben, ehe man es wieder laufen läßt.

Ob Sie Ihrem Pony die Mähne stutzen lassen, bleibt Ihrem Geschmack überlassen. Beim Norweger gehört es zum Bild der Rasse. Den Schwanz sollten Sie aber auf keinen Fall kürzen, er wirkt um so schöner, je länger er ist.

Bei zu dünnem Wuchs der Schweifhaare können Sie die Haare bis zu zwei Handbreit kürzen, damit das Wachstum angeregt wird, aber erst zum Winter, wenn keine Fliegenplage mehr besteht.

Für die Mähne gibt es einen speziellen Mähnenkamm. Aber rupfen Sie damit nicht zu doll herum! Ich habe nie einen benutzt, sondern immer nur die Kardätsche, meine zehn Finger und eine Wurzelbürste.

Wenn Sie Ihr Pony zum Schluß dann noch mit einem weichen Tuch abreiben, wird es tadellos gepflegt aussehen.

Über Sattelzeug und Fahrgeschirr

Zu jeder körperlichen Arbeit braucht man die richtige Berufs-
kleidung. Das ist hundertprozentig auch bei Ihrem Pony der
Fall. Und es ist dabei mal wieder völlig von Ihnen, von Ihrer
Einsicht und Ihren Kenntnissen abhängig. Den Umgang mit
der „Ponykleidung", das Satteln und Anspannen muß man
genauso lernen wie das Reiten und Fahren selbst. Sie dürfen
Ihrem Pony nicht einfach irgendetwas über den Kopf streifen
und auf den Rücken schmeißen, damit ruinieren Sie es.

Das Kopfstück muß genau nach dem Kopf verschnallt werden, die Trense muß an der richtigen Stelle liegen, die Mundwinkel dürfen nicht hochgezerrt werden, der Kehlriemen darf
nicht zu eng sein. Der Sattel muß dem Pony ganz genau
passen, ob nun Sattelkissen oder teurer Spezialsattel. Daraus
ergibt sich, daß sowohl Kopfstück als auch Sattel *stets nur
für das eine Pony verwendet werden darf, für das es gekauft
und gerichtet wurde.*

Fast überflüssig zu erwähnen, daß dieser Grundsatz auch
für das Fahrgeschirr gilt! Das Brustblatt muß tatsächlich dort
sitzen, wonach es seinen Namen hat: vor der Brust. Alles
andere, einschließlich Kopfstück, muß wieder genau nach den
Körpermaßen des Ponys verschnallt werden. Und dann gehört
dieses Geschirr wiederum nur *diesem* Pony. Soll ein anderes
Pony damit gehen, müßte es erst nach dessen Maßen zurecht-
gemacht werden.

In Ihrem eigenen Interesse achten Sie darauf, daß Zügel
und Fahrleine aus bestem, reißfestem Material sind und keine
altersschwachen Stellen haben. Reißt mal ein Strang, ist das
zwar unangenehm, wird aber kaum je gefährlich. Reißt die
Leine — na, vielleicht haben Sie selbst so viel Phantasie, sich
die möglichen Folgen auszumalen. Und auch ein gerissener
Zügel ist nicht die höchste aller Wonnen. Übrigens hat der
erfahrene Reiter oder Fahrer immer ein gutes, kräftiges Ta-

schenmesser und ein paar Meter guten Strick bei sich. Man kann nie wissen . . .

Zum „Arbeitsgeschirr" des Fahrpferdes gehört auch der Wagen. Achten Sie dabei auf beste Qualität, und achten Sie darauf, daß die Wagengröße im richtigen Verhältnis zur Größe Ihres Pferdchens steht. Mir sträuben sich manchmal die Haare, wenn ich sehe, vor welch gewaltige Kutschen man so ein williges Shetty spannt, und vielleicht sitzen dann noch vier voluminöse Erwachsene in der Kutsche, die der Zwerg bergauf, bergab mühsam hinter sich herzerren muß.

Das gibt es nicht?

Oh doch. Leider.

Ich meine aber, auch Tierschinderei aus Gedankenlosigkeit ist nichts weiter als Tierschinderei! Wer unter die Ponybesitzer geht, hat die Pflicht und Schuldigkeit, sich in allen Dingen der Haltung den erforderlichen Rat zu holen. „Das habe ich nicht gewußt" ist keine Entschuldigung. Gar keine!

Wenn das Pony krank wird . . .

. . . holt man den Tierarzt. Das robust gehaltene Pony ist an sich wenig krankheitsanfällig, aber es ist nicht vor Krankheiten gefeit. Und wenn ein Laie sich unter Anwendung sogenannter Hausmittel im Heilen versucht, kann das dem Pferdchen das Leben kosten.

Stellt man im Verhalten seines Ponys Veränderungen fest, verweigert es das Futter, ist matt, ermüdet auffallend rasch, schwitzt ungewöhnlich stark und oft, hustet es oder klingt der Atem rasselnd, geht es lahm oder hat es eine erhebliche Verletzung, dann, ich wiederhole es, ruft man den Tierarzt!

Zur Gesundheitsfürsorge gehört:

- Eine vernünftige Fütterung, denn viele Ponys sind zu fett und werden davon krank.
- Daß man sein Pony mit Vernunft reitet und nicht wie ein Irrer durch die Gegend jagt, möglichst immer im Galopp bergauf.
- Daß man es gegen Wundstarrkrampf impfen läßt. Ich kenne allein vier Fälle, in denen Pferde diesen grausamen Tod gestorben sind, eins durch Vernageln, drei durch Verletzungen auf der Weide. In allen Fällen waren die Tiere nicht geimpft.
- Daß man regelmäßig Wurmkuren mit dem Pony macht, etwa dreimal im Jahr.
- Daß man für guten Beschlag und sorgfältige Hufpflege Sorge trägt.
- Daß man für gut sitzendes Geschirr sorgt.

Hält man sich an diese zwar kargen, aber wesentlichen Ratschläge, hat man schon eine ganze Menge für die Gesunderhaltung seines Ponys (oder Eselchens) getan.

Nicht als Anleitung zum Selbstherumdoktern, aber um sich ins Bild zu setzen, was alles passieren kann, wie sich manches **vermeiden läßt oder wie man notfalls erste Hilfe leisten kann**, bis der Tierarzt kommt, folgt noch ein kleiner Überblick über die häufigsten Krankheiten.

Kolik

Es gibt eine Fülle von auslösenden Ursachen für diese gefährliche Krankheit, u. a. besteht bei manchen Pferden eine Anfälligkeit für Kolik. Schlechtes Futter wie schimmliges Heu, erhitztes Grünfutter, das zu starker Gasbildung in den Därmen führt, aber auch Parasitenbefall oder das Koppen kann zu Kolik führen. **Anzeichen:** Futterverweigerung, sichtbar aufgetriebener Leib, starkes Schwitzen, Wälzen, Stöhnen und Umsehen nach dem Leib. Sofort den Tierarzt rufen, bis zu seinem Eintreffen das gut eingedeckte Pferd an einem geschützten Platz herumführen, damit es etwas Bewegung hat, eventuell mit Strohwischen den Leib massieren. Nur im Schritt führen!

Kreuzschlag

Plötzlich auftretende Krämpfe der Kreuzmuskulatur mit Lähmungserscheinungen der Hinterhand. Besonders gefährdet sind zu gut genährte Ponys, die wegen täglicher Arbeit reichlich Kraftfutter bekommen und dann bei gleichbleibender Futterration aus irgendwelchen Gründen einige Tage im Stall stehen. Werden sie dann wieder zur Arbeit herangezogen, kann es zum Kreuzschlag (auch Nierenverschlag genannt) kommen. **Anzeichen:** Starkes Schwitzen, steifer Gang, Einknicken in den Gelenken bis zur völligen Bewegungsunfähigkeit. Verhärtung der Kruppenmuskulatur. Sofort absteigen bzw. ausspannen, das Pferd eindecken, nicht bewegen, Tierarzt rufen. Heilungsaussichten nicht übermäßig gut, darum vorbeugen. Muß ein sonst regelmäßig arbeitendes, kräftig gefüttertes Pony mehrere Tage stehen, wird grundsätzlich kein Hafer gefüttert.

Pferdehusten

Eine Virusinfektion. **Anzeichen:** wässriger Nasenausfluß, schon in diesem Stadium hochansteckend, vorübergehender Temperaturanstieg, später Husten. Sofortige Schonung des Patienten unbedingt nötig! Pferd darf weder geritten noch gefahren, soll aber bei gutem Wetter mehrmals am Tag im Schritt spazierengeführt werden. Kein staubendes Futter geben. Tierarzt rufen. Wird das erkrankte Tier nicht geschont oder zu früh wieder strapaziert, gibt es schwere Folgekrankheiten wie Dämpfigkeit, Kehlkopfpfeifen, Herzschwäche, chronischer Husten.

Gefahrenherde sind natürlich alle größeren Pferde-Ansammlungen wie Turniere, Märkte oder Zuchtschauen. Die Inkubationszeit beträgt nur wenige Tage. Wer mit seinem Pferd so eine Versammlung besucht hat, sollte es in den darauffolgenden Tagen besonders kritisch beobachten. Stellt sich

Nasenausfluß ein, muß sofort die Temperatur gemessen werden, dann benachrichtigt man den Tierarzt. Auch hier ist schnelle Hilfe gute Hilfe!

Über das Messen der Temperatur und die Normaltemperatur des Pferdes muß der Ponyhalter natürlich auch Bescheid wissen. Das ausgewachsene Pferd hat im Ruhezustand (also nicht gleich nach der Arbeit oder einer Galoppade auf der Weide) eine Normaltemperatur zwischen 37,5 und 38,3° C. Gemessen wird mit einem üblichen Fieberthermometer im After. Das Thermometer mit Vaseline oder Öl gleitfähig machen, am Thermometerkopf einen Bindfaden befestigen, an dem man es festhalten kann. Die Quecksilbersäule muß natürlich ganz heruntergeschlagen sein. Meßzeit drei Minuten. Bei nervösen oder ängstlichen Pferden ist ein Helfer nötig, der dem Tier nicht nur gut zuspricht, sondern auch ein Vorderbein des Pferdes anhebt. Dann m u ß es stillstehen.

Sommerekzem

Meist stark juckender Hautausschlag, der sich zuerst am Mähnenkamm und Schweifansatz zeigt. Über die Ursachen herrscht noch keine Klarheit. Tritt besonders häufig bei Islandponys auf. **Anzeichen:** Pferde scheuern sich heftig, an den befallenen Stellen treten Bläschen auf. Während der Sommermonate ist eine genaue Beobachtung dieser kritischen Stellen unerläßlich. Es gibt kein Mittel, das bei allen Pferden gleich zuverlässig hilft, darum muß unter tierärztlicher Aufsicht das wirkungsvollste Medikament herausgefunden werden. Das vom Sommerekzem befallene Pony gehört außerdem bei Heufütterung in den Stall.

Mauke

Wunde Stellen in der Fesselbeuge, die sich so stark entzünden können, daß das Pferd lahmgeht. Verschleppte Mauke ist schwer zu heilen. Vor allem bei sumpfigen und lehmigen Stellen in den Weiden muß man nach Regenfällen kontrollieren, ob in den Fesselbeugen der Pferde kein Schmutz zurückgeblieben ist, der die Haut wundreiben könnte. Auch Verletzungen, Hängenbleiben im Draht oder in der Kette können Mauke auslösen. Immer für saubere, trockene Fesselbeugen sorgen.

Lahmen

Kann so unendlich viele Ursachen haben, daß hier nur ganz allgemein der Rat möglich ist: Pferd auf jeden Fall schonen, und ist die Lahmheit nicht am nächsten Tag von selbst verschwunden, den Tierarzt zur gründlichen Untersuchung rufen. Fängt ein Pferd an, nach dem Beschlagen zu lahmen, muß sofort das Hufeisen abgenommen und geprüft werden, ob ein Nagel falsch gesessen hat. Pferde, die nicht gegen Tetanus geimpft wurden, sind bei Vernagelungen besonders gefährdet.

Daß es einige Erkrankungen gibt, die nur auf Nachlässigkeit des Besitzers zurückzuführen sind, sei nicht verschwiegen. Strahlfäule braucht kein Pferd zu bekommen und bekommt es auch nicht bei guter Hufpflege. Sattel- oder Geschirrdruck kann zwar auch bei gut passendem Zeug einmal vorkommen, ist aber bei sofortiger Behandlung schnell behoben und wird nur schlimm durch Verschlampen. Der aufmerksame Ponyhalter wird auch schnell merken, wenn mit den Zähnen seines Pferdchens etwas nicht stimmt. Steht ein gesundes Pferd hungrig vor der Krippe und frißt nur ganz zögernd oder gar nicht, haben die Innenseiten der Backenzähne zu scharfe Kanten. Das Tier beißt sich selbst schmerzhaft in Backe und Zunge und wagt sich bald nicht mehr ans Futter. Durch Abraspeln der Kanten ist der Schaden schnell behoben — nur muß man es merken und beheben lassen!

Dies war, wie gesagt, nur ein ganz kleiner Überblick. Aber er kann trotz seiner Kürze etwas dokumentieren: vernünftige Haltung, Beanspruchung und Fütterung, verbunden mit den wachsamen Augen des Besitzers, tragen viel dazu bei, das Pony gar nicht erst krank werden zu lassen.

Über den Umgang mit Pferden

Um gut mit einem Tier umgehen zu können, muß man möglichst viel von seiner Art, seinen von den Urahnen vererbten Instinkten, kurz, seiner naturgegebenen Verhaltensweise wissen. Und um die Reaktionen von Tieren richtig zu verstehen, muß man sich vor allem vor vermenschlichenden Gedankengängen hüten: so wenig eine Katze „falsch" ist, so wenig ist ein Pferd „klug", ein Esel „dumm", ein Hund „treu", ein Fuchs „listig". Und so weiter und so fort. Das alles sind Klischees, vom menschlichen Verhalten auf Tiere übertragen, und darum auf jeden Fall schief und nicht stimmend. Wie es mit der Intelligenz eines Tieres bestellt ist, kann man stets nur im Rahmen seiner Möglichkeiten und im direkten Vergleich mit seinen Artgenossen feststellen — niemals aber im Vergleich mit menschlicher Intelligenz. Innerhalb jeder Tierart gibt es selbstverständlich sehr unterschiedlich Begabte, genau wie bei uns Zweibeinern, und es ist auf jeden Fall amüsanter und erfreulicher, ein kluges Exemplar seiner Gattung zu erwischen als ein dummes. Das gilt in vollem Umfang auch für Pferde.

Wie aber ist nun ein Pferd?

Als Herdentier fühlt es sich eigentlich nur in Gesellschaft wohl, möglichst in Gesellschaft von Artgenossen. In Ermangelung solcher akzeptiert es auch Rinder, Schafe oder — uns Menschen als Gesellschafter. Es wird von uns ja in sehr vielen Fällen zu dem ihm unbehaglichen Zustand des Alleinseins gezwungen, wer kann sich schon mehr als ein Pferd leisten ... Aber je mehr man sich dann um so ein Einzeltier kümmert, um so stärker fühlt es sich an seinen menschlichen Kumpel gebunden. Ich habe meine Pferde stets selbst gepflegt, wir waren entsprechend vertraut miteinander. Stieg ich auf langen Tagesritten zwischendurch immer mal eine Zeitlang ab, schlenderte mein Pferd neben mir her, ohne daß ich es am Zügel führen mußte: ich stellte ja sozusagen seine „Herde" dar, von der es sich gar nicht trennen *wollte*.

Dieser Herdentrieb kann auch unangenehme Seiten haben. Sind mehrere Pferde beieinander — auf der Weide, in einem Stall —, und eines, nämlich das, auf dem man sitzt, soll sich allein von den anderen entfernen, kann der angeborene Herdentrieb so stark wirken, daß man das liebe Tier einfach nicht von der Stelle bringt. Ein echter „Kleber" spielt lieber total verrückt, als daß er allein davonzieht. So kann der an sich durchaus normale Herdentrieb zu einem Ärgernis werden.

Ein weiterer dunkler Punkt bei Pferden ist ihre ebenfalls angeborene Bereitschaft zum Scheuen, meist mit Durchgehen verbunden. Mit Dummheit hat das allerdings nichts zu tun. Weglaufen, so schnell wie möglich weglaufen, wenn eine Gefahr droht, ist aus der Sicht des nahezu waffenlosen Pferdes eine sehr weise, weil lebenserhaltende Reaktion. Jedenfalls beim wilden bzw. wild lebenden Pferd. Scheut unser zivilisiertes Reitpferd allerdings vor jedem Blatt Papier, das auf der Straße liegt, hat es schlechte Nerven oder böse Erfahrungen gemacht. Aber angeborene Nervosität ist eine schlechte Mitgift für ein Freizeitpferd! Es darf aus Übermut buckeln, aber nicht aus panischer Angst vor jedem Blatt im Winde davonrennen. Darum gehören nervöse Pferde nur in ganz erfahrene Hände, für den Anfänger sind sie lebensgefährdend.

Ein Pferd sei „nahezu waffenlos", habe ich geschrieben. *Eine* Waffe hat es nämlich doch: seine harten Hufe. Normalerweise macht ein Pferd nur dann davon Gebrauch, wenn es sich von einer Gefahr überrascht glaubt, ihm keine Zeit mehr bleibt zum Weglaufen. Dann schlägt es aus — blitzschnell und durchaus Gefahr bringend! Darum steht in jedem guten Pferdebuch die dringliche Warnung, niemals unbemerkt von hinten an ein Pferd heranzutreten, es vielleicht noch mit einem kräftigen Klaps „wecken" zu wollen aus seiner Döserei. Das aufschreckende Pferd wird in den meisten Fällen ganz instinktiv ausschlagen, und das kann üble Folgen haben.

Daß von Menschen verdorbene Pferde bei jeder Gelegenheit schlagen und auch beißen wollen, steht auf einem anderen Blatt! Pferde haben ein ganz vorzügliches Gedächtnis. Sie vergessen schlechte Behandlung nicht so leicht und reagieren entsprechend, wenn sie sich bedroht fühlen. So ein Pferd ist dann als „bösartig" verschrieen, und es *ist* ja auch bösartig. Bösartig *geworden* durch menschliche Bosheit oder menschlichen Unverstand.

Nun können auch Hengste zum Beißen und Schlagen neigen, ohne deshalb bösartig zu sein. Sie müssen ganz einfach ihre Kraft messen, müssen ausprobieren, wie weit sie gehen dürfen, wo ihr „Ranglistenplatz" ist. Und ist kein Artgenosse da für diese Hengstspiele, soll eben der Mensch dafür herhalten. Das gilt auch für Fohlen und Halbwüchsige, die ihre überschüssigen Kräfte loswerden müssen, sie keilen und zwikken gern. Hier nun mit dem nötigen Nachdruck, aber ohne das junge Tier durch unangebrachte Strafen zu verprellen, die menschliche Oberhand zu bewahren, verlangt schon ein gehöriges Maß an Einfühlungsvermögen und „Pferdeverstand". Man muß das Temperament des Pferdes genau einschätzen können, man muß wissen, ob man es mit einem Phlegmatiker oder einem Choleriker zu tun und wie man mit einem sensiblen Typ umzugehen hat.

Daß dazu Erfahrung gehört, ist wohl klar. Daß einem als Neuling diese Erfahrung fehlt, auch. Und darum soll man sich als erstes Pferd kein übermütiges, allzu junges Tier wählen. Man muß ja selbst erst lernen, sehr, sehr viel. Also sucht man sich ein älteres, kluges und erfahrenes Pferd — und geht bei ihm in die Lehre.

Was, meinen Sie, habe ich schon alles von meinen Tieren gelernt, ob es nun Pferde, Hunde, Katzen oder Vögel waren.

Es wird nämlich niemand als Meister geboren, und gerade im Umgang mit Tieren ist nur eins gewiß: daß man niemals auslernt. Aber je mehr man von ihnen weiß, um so richtiger behandelt man sie und erreicht dadurch ein Höchstmaß an gegenseitigem Verstehen. Das ist nicht nur nützlich, es ist auch sehr, sehr schön.

Fassen wir zusammen:

Pferde neigen angeborenerweise zu Schreckhaftigkeit; diese Veranlagung muß man im Umgang mit ihnen auf jeden Fall einkalkulieren, auch bei absolut „frommen" Tieren.

Pferde haben ein ausgezeichnetes Gedächtnis. An der Behandlung, die der Mensch ihnen angedeihen läßt, liegt es, ob sich dort überwiegend gute oder schlechte Erfahrungen speichern.

Wer selbst noch ein Lernender ist, kann logischerweise anderen nichts beibringen. Darum gehört jemand, der gerade erst mit Reiten anfängt, nicht auf ein junges Pferd, das gerade erst eingeritten wird. Mit wieviel Geduld und — wiederum — Einfühlungsvermögen muß das junge Tier an die Last auf seinem Rücken gewöhnt werden. Wie sorgsam muß der Reiter vermeiden, ihm grob ins Kreuz zu fallen. Wie gefühlvoll muß die Zügelführung sein, damit es keinen Ruck im empfindlichen Maul gibt. Und wie genau muß der Reiter auf erste, leise Ermüdungserscheinungen achten, damit er die Lektion beendet, *bevor* das junge Pferd unlustig wird und dann anfängt, sich zu widersetzen.

Das alles gilt entsprechend auch für das junge Wagenpferd, das eingefahren werden soll.

Pferde sind keine Maschinen. Wer sich ein Fortbewegungsmittel wünscht, bei dem er Gas geben und losbrausen kann, soll sich ein Auto oder ein Motorrad kaufen, aber kein Pony.

Die Zwergesel

Gerechtigkeit für einen Verleumdeten!

Esel sind dumm?

Das ist eine Verleumdung. Sie sind nur unendlich geduldig, und soviel Engels- — Verzeihung: Eselsgeduld wird leicht mit Dummheit verwechselt.

Esel sind faul?

Das ist erst recht eine Verleumdung. Es gibt kein zweites Haustier auf der Welt, dem unter kümmerlichsten Lebensbedingungen soviel aufgebürdet wird wie ihm. „Aufgebürdet" im engsten Wortsinn.

Esel sind störrisch?

Verleumdung Nr. 3. Man denke an das Sprichwort, daß selbst ein Wurm sich krümmt, wenn er getreten wird. In diesem Sinn verweigert auch dieser eselsgeduldige Gehilfe des Menschen einmal seinen Dienst, wenn er noch mehr als gewohnt geplagt wird.

Esel sind grau?

Selbst das stimmt nicht. Es gibt schwarze, braune, weiße und falbfarbige.

Und wie sind Esel nun wirklich? Sie sind genügsam, friedlich, gutmütig, willig bis zur Selbstaufgabe — und neuerdings eines der bundesdeutschen Lieblingstiere.

Lesen Sie nun, was es Interessantes über den Esel zu berichten gibt. Das ist nicht wenig! Und zum Schluß erfahren Sie, wie man das brave Langohr hält, pflegt und füttert.

Die klugen und mutigen Ahnen

Als Stammvater unserer Hausesel gilt in erster Linie der **Nubische Wildesel,** ein kleiner, zäher, hell-graugelblich gefärbter Bursche mit Aalstrich auf dem Rücken und einem dunklen Querstrich über den Schultern. Die beiden Streifen bilden das sogenannte „Schulterkreuz", das sich auch bei den domestizierten Eseln noch zeigt.

Der Nubier ist in der Freiheit vermutlich nicht mehr vorhanden, mit Sicherheit ausgestorben ist der **Nordafrikanische Wildesel.** Ob es von den Nubiern noch kleine Restbestände in freier Wildbahn gibt, ist zweifelhaft. In der Sahara sind ab und zu kleine, sehr scheue Eselherden zu sehen, die aber auch aus verwilderten, entlaufenen Hauseseln bestehen können oder aus Kreuzungsprodukten zwischen Resten der Wildesel und Hauseseln.

Nur der Dritte im Bunde ist tatsächlich noch vorhanden: der rassige, schöne **Somali-Wildesel.** Er kann bis zu 1,40 Meter Schulterhöhe erreichen, hat eine ins Rosa spielende graue Fellfarbe, an allen vier Beinen kräftige schwarze Querstreifen, einen schwachen Aalstrich, aber keinen Schulterstreifen. Die Reste dieses schönen Wildesels wurden zwar unter strengen Schutz gestellt — aber was heißt das schon in derart weltabgelegenen Gegenden! Treffen die umherschweifenden Beduinen auf das bei ihnen hochbegehrte Wild, so wird es natürlich gejagt. Man kann von diesen einfachen Menschen wohl kaum Verständnis dafür erwarten, daß es eine „Kulturtat" ist, den Somali-Wildesel vor dem Aussterben zu bewahren . . .

Durch das frühzeitige Verschwinden der Wildesel von dieser Erde weiß man recht wenig über ihre Lebensweise in freier Wildbahn. Das ließ sich nur noch bei den äußerst scheuen und vorsichtigen Somaliern beobachten. Sie leben in kleinen Herden zusammen, deren Leittier eine alte, erfahrene Stute ist. Werden sie gejagt, rasen sie in vollem Tempo steilste Hänge hinunter, samt Fohlen. Raubtiere haben auch keine allzu große Chance, denn bei einem Angriff zieht die Herde sich zusammen, und mit ihren eisenharten Hufen können sie einer Raubkatze durchaus den Schädel einschlagen.

Die Fohlen werden nach zwölfmonatiger Tragzeit — also einen Monat länger als beim Pferd —, in unmittelbarer Nähe der Herde geboren und sind schon nach einer Stunde fähig, der Mutter zu folgen.

In den Lebensbezirken der Wildesel gibt es nur äußerst armselige Nahrung: Mimosen, Dornbüsche, härtestes Gras, eben Wüstenvegetation. Aber dieses elende Futter wird von ihnen bestens verwertet, sie gedeihen dabei so gut wie ein Pferd bei reichlichem Kraftfutter.

Eselstuten sind schon mit zwei Jahren fortpflanzungsfähig, die Hengste erst mit fünf Jahren voll geschlechtsreif.

Interessant ist, daß Wildeselfohlen in den ersten Monaten ihres Lebens kein Wasser trinken. Geht die Herde zur Tränke, bleibt das Fohlen ruhig hinter der Mutter und kümmert sich gar nicht um das Wasser.

Wildesel im Zoo — eine Kostbarkeit

Ganz verschwunden — fast verschwunden, das ist die melancholische Begleitmusik zum Thema „Wildesel". Aber es gibt ja noch Tiergärten, und sie erweisen sich immer mehr als ein Hort bedrohter Tierarten, als — wenn man so will — „lebendes Naturkundemuseum".

So haben sich auch einige Wildesel in den Zoo gerettet oder sind in den Zoo gerettet worden.

Der Münchner Tierpark Hellabrunn hatte schon in den dreißiger Jahren Afrikanische Wildesel eingeführt, die sich gut vermehrten. Bei Zootieren stets ein Zeichen dafür, daß sie sich voll eingelebt haben. Von diesen Nachkommen gab Hellabrunn 20 Jahre später einige nach den USA ab, und was an Afrikanischen Wildeseln in unseren Tiergärten zu sehen ist, stammt ebenfalls aus der Hellabrunner Zucht.

1970 besuchte ich den Basler Zoo, in dem ich lange Jahre Stammgast gewesen bin. Seit wir wieder „hoch im Norden" wohnen, komme ich natürlich nur noch selten nach Basel. Bei diesem Besuch konnte ich eine kostbare Neuerwerbung bestaunen: fünf Somali-Wildesel, die im Nogaltal in Somali gefangen werden durften. Die Gitter des großen Eselgeheges waren rundum mit mannshohen Planen verkleidet, da man die wertvollen Neuankömmlinge erst noch vor allzu viel Publikumsinteresse schützen und ihnen Ruhe zum Einleben bieten wollte. Mit einigen Verrenkungen konnte ich sie aber trotzdem gut beobachten.

Doch fast noch interessanter war dann das Beobachten der Zoobesucher. Natürlich reizten die verhängten Gitter die Neugier des Publikums, das ist menschlich. Ausnahmslos jeder reckte den Hals, bis er über die Planen gucken konnte, oder suchte nach einer Ritze zum Spähen. Ebenso ausnahmslos war die Reaktion: „Ach — das sind ja n u r Esel!", und enttäuscht wanderte man weiter.

Hand aufs Herz — hätten S i e gewußt, welcher zoologischen Kostbarkeit Sie dort gegenüberstehen?

Vielleicht wissen die Basler inzwischen, daß ihr geliebter und viel besuchter „Zolli" der einzige Zoo ist, der reinblütige, aus freier Wildbahn stammende Somali-Wildesel besitzt und so dazu beitragen kann, diese schönen Tiere zu erhalten.

Auch in Hagenbecks Tierpark in Hamburg gibt es seit 1954 einen seltenen Vertreter der Wildesel, den **Onager,** der in der persischen Salzwüste beheimatet ist und zoologisch als „Halbesel" oder „Pferdeesel" eingeordnet wird. Der mittelgroße Onager ist sandfarben, mit einem Aalstrich bis zum Schwanzende. Er sieht mehr wie ein Esel aus, hat aber auch viele pferdeartige Merkmale. Seine Stimme liegt in der Mitte zwischen Eselsschrei und Pferdewiehern.

Die Onager waren schon fast ausgerottet, als Hagenbeck 1954 die Erlaubnis bekam, einige Tiere zu fangen. Die Hagenbecksche Herde hat bisher über 30 Fohlen gebracht. Wo es heute in einem Zoo Onager zu sehen gibt, handelt es sich um echte Hamburger Buttjes und Deerns . . . Da auch die asiatischen Halbesel in der Freiheit stark bedroht sind, kommt den schönen tiergärtnerischen Zuchterfolgen große Bedeutung zu.

So viel über Wildesel im Zoo, eine von den Besuchern meist völlig verkannte große Kostbarkeit.

Vom Wildesel zum Hausesel

Noch vor dem Pferd machte der Mensch sich den Esel dienstbar. Es heißt, der Wildesel wäre leichter zähmbar gewesen als das Wildpferd (Otto Keller, „Die antike Tierwelt"). Ob das stimmt, sei dahingestellt, bei der Scheu und Vorsicht, die Wildeseln eigen ist. Auf jeden Fall waren und sind sie im Unterhalt genügsamer, als je ein Pferd es sein kann, und die „wirtschaftliche" Seite wird schon immer eine wesentliche Rolle gespielt haben, jedenfalls bei der großen Masse.

Etwa 4000 Jahre vor unserer Zeitrechnung hat man im Niltal den Nubischen Wildesel gezähmt. Von dort verbreitete sich der nützliche Gehilfe des Menschen über Arabien, Nord- und Ostafrika. Neben dem Nubischen gehört auch der Somali-Wildesel zu den Ahnen des Hausesels. Im alten Ägypten züchtete man besonders schöne, pferdegroße weiße Esel, die den Onager zum Stammvater gehabt haben sollen.

Die edlen ägyptischen Eselschimmel wurden hochgeschätzt und waren so teuer wie erstklassige Rassepferde. Otto Keller schreibt in „Die antike Tierwelt", Auflage von 1963: „Noch jetzt reiten die Mitglieder der regierenden Familien in Sansibar auf schneeweißen Mesketeseln".

Ich wüßte gern, ob sie es traditionsbewußt heute noch tun? Aber wahrscheinlich sind sie auf schneeweiße Lincoln oder Mercedes umgestiegen . . .

Doch nicht nur als Reit-, Trag- und Zugtier waren Esel geschätzt, auch ihre Milch war begehrt. Die Dame Poppaea hielt ständig 500 Eselinnen, in deren Milch sie badete. Außerdem sollte Eselsmilch ein Heilmittel für alle möglichen Leiden sein, und selbst der Eselsmist wurde in der antiken Medizin zu Heilmitteln verarbeitet.

Aber längst nicht alle Esel des Altertums waren „gut situiert" und erfreuten sich der Anerkennung der Menschen. Dem Durchschnittsesel erging es damals nicht besser als den meisten seiner heutigen Nachfahren: gut für jede schlechte Arbeit bei schlechtem Futter und noch schlechterer Behandlung, fristeten und fristen sie ihr Dasein.

Nach Europa kam der Hausesel erst etwa 2000 Jahre v. Chr. Vermutlich brachten die Etrusker ihn mit, als sie Italien besiedelten. Schon im klassischen Altertum hatte der Esel ganz Südeuropa erobert und spielte eine wesentliche Rolle als Reittier, Zugtier und Lastenträger. Natürlich war es wiederum seine große Bedürfnislosigkeit, seine Härte und Ausdauer, die ihn zum unentbehrlichen Helfer des Menschen machten. Der Bauer brauchte ihn ebenso wie das damalige Militär, man mußte sich nie Gedanken darum machen, wie man ihn ernähren sollte, denn was er brauchte, suchte er sich auch noch in kargsten Gegenden. Er trug ungeheure Lasten im Vergleich zu seiner Größe, er kletterte wie eine Gemse — oder doch beinahe so —, und er wanderte durch Wüsten. Zu allem war er auch noch mutig und setzte sich selbst gegen Raubtiere erfolgreich zur Wehr.

Mit der Zeit entstanden mehrere Hauseselrassen, wenn auch im Vergleich zu den vielen Pferderassen, die der Mensch züchtete, eine verschwindend kleine Zahl.

Der größte Vertreter der Sippe ist der **Poitou-Esel,** der mehr als 1,50 m Schulterhöhe erreicht. Fast ebenso groß wird der **Spanische Riesenesel,** ein temperamentvolles, trittsicheres Reittier, das von den Spaniern sehr geschätzt wird. Übrigens brachten die Spanier im 16. Jahrhundert auf ihren Eroberungszügen nach Südamerika Esel mit, die sich in den Andenländern bestens einbürgerten und dort heute als Lasttiere unentbehrlich sind.

In Süditalien züchtet man den **Puli-Esel,** in Südfrankreich den schlanken **Gascogner** und im Alpengebiet den kleineren **Savoy-Esel,** der sich ruhig und gelassen auch im schwierigsten Gebirgsgelände zurechtfindet und dabei erhebliche Lasten schleppt.

Auf Sizilien wird der **Sizilianische Esel** gezüchtet, ein leichter, eleganter Schlag mit feurigem Temperament. Hengste dieser Rasse werden häufig zum Veredeln anderer Eselrassen benutzt.

Der Vollständigkeit halber sei auch Maultieren und Mauleseln etwas Raum gewidmet.

Das Kreuzungsprodukt zwischen Pferdehengst und Eselstute heißt Maul*esel*, das zwischen Pferdestute und Eselhengst Maul*tier*.

„Mulis" wurden ebenfalls schon im Altertum gezüchtet und rangierten im Ansehen noch vor den Eseln. Die Gallier besaßen sogar einen eigenen Gott der Maultiere, den Segomo. Die Damen des Altertums schätzten den ruhigen, sanften Gang der Tiere, das römische Militär seine Kraft und Sicherheit auch in schwierigem Gelände, der kaiserliche Postdienst ihre Schnelligkeit und Ausdauer.

In der Neuzeit züchtete man vor allem in Spanien und Frankreich Maultiere. Allerdings sind diese Kreuzungsprodukte nicht fortpflanzungsfähig, es muß also immer wieder Esel und Pferd zusammengebracht werden.

Da man auch Shetlandponys mit Zwergeseln gekreuzt hat, gibt es auch Mulis in Zwergform, aber sie sind selten.

Der Esel in Sage, Fabel und Märchen

„König Midas hochgeboren, mit den langen Eselsohren" — diesen Spottvers sangen wir als Kinder, ohne allerdings von den Sagen etwas zu wissen, die sich um den Phrygerkönig rankten.

Die *positive* Sage lautet so: Die Dynastie der Midas rechnete es sich zu hoher Ehre an, direkt vom Esel abzustammen. Midas I. war ein Gott in Eselsgestalt, und alles, was er berührte, wurde zu Gold. Nachdem er in dem Fluß Paktolus gebadet hatte, soll er dort seinen Goldsegen abgestreift und den Strom damit zum goldhaltigsten jener Zeit gemacht haben. Die Eselsohren blieben ihm als Zeichen seiner ehemaligen Gottheit, also als Auszeichnung.

Die *negative* Sage hört sich anders an: Danach war Midas I. ein zwar gutmütiger, aber etwas törichter Mann. Dionysos stellte ihm für die Freilassung des Silen einen Wunsch frei, und Midas wünschte sich, daß alles, was er berührte, zu Gold werden möge. Alsbald bereute er diesen törichten Wunsch bitter, denn da wirkliches „alles" zu Gold wurde, was er berührte, war das auch mit Speis' und Trank der Fall, er drohte zu verhungern und bat Dionysos darum, seine Zusage rückgängig zu machen.

Die Eselsohren soll er nach der negativen Sage auf folgende Weise erhalten haben: Er fand das Flötenspiel des Pan schöner als das Zitherspiel Apollos, und zur Strafe läßt Apollo ihm Eselsohren wachsen. Midas verbirgt diese Zier unter einer großen Mütze, und seinem Barbier wird bei Todesstrafe verboten, darüber zu reden. Der gute Mann muß dies Geheimnis aber irgendwie loswerden, gräbt nächtlicherweile eine Grube und flüstert hinein: „König Midas hat Eselsohren", dann schüttet er die Grube wieder zu. Aber das nachwachsende Schilf gibt es mit dem Wind weiter, und so wird doch bekannt, was nicht bekannt werden sollte.

Von dieser Version hat sich bis auf den heutigen Tag der spöttische Gebrauch erhalten, über einen bekannten, bedeutenden Mann, der eine Schwäche verbergen möchte (und welcher Mensch hätte keine . . .) als „König Midas" zu sprechen und zu sagen, er hätte Eselsohren.

In der Fabel spielt der Esel eine große Rolle, mal als Betrogener, mal als Pfiffikus. Die meisten Fabeln stammen aus dem Altertum von Babrios und Äsop. Der Franzose La Fontaine hat viele von ihnen übersetzt oder nachgedichtet. Mit die bekannteste dürfte die von dem Esel mit den Salzsäcken sein:

Ein Krämer hatte am Meer Salz eingehandelt und seinen Esel mit vielen Säcken beladen. Als sie ein Flußbett durchqueren mußten, stolperte der Esel, fiel hin, und kam nicht gleich wieder hoch, weil die Last ihn niederdrückte. Als er schließlich wieder auf den Beinen stand, merkte er voll Staunen, daß seine Last erheblich leichter geworden war! Das schrieb er sich hinter die langen Ohren, und als er nach dem nächsten Handel wieder schwerbeladen durch den Fluß mußte, stolperte und fiel er absichtlich. Wieder schmolz der größte Teil seiner Last dahin, und beschwingten Fußes legte das schlaue Eselein den restlichen Weg zurück. Aber sein Herr hatte ihn durchschaut und setzte „auf einen Schelm anderthalb". Diesmal kaufte er kein Salz, sondern Schwämme. Erwartungsgemäß ließ sein vierbeiniger Pfiffikus sich wieder in den Fluß plumpsen und blieb lange Zeit liegen. Aber o weh — was war das? Als er sich endlich erhob, kam er kaum auf die Beine, seine Last war nicht leichter, sie war erheblich schwerer geworden! Ächzend schleppte er seine Bürde bis zum Markt und verzichtete fortan auf seine Einlage im Fluß.

Unter dem Motto: „Wenn zwei dasselbe tun . . ." steht folgende kleine Fabel: Ein Esel stieg auf ein Hausdach und trampelte munter auf den Ziegeln herum, die natürlich unter seinem Gewicht zerbrachen. Der Hausbesitzer kam eilig an und jagte ihn mit Stockprügeln vom Dach. Da jammerte der

Esel: „Wie ungerecht! Von dem Affen, der gestern hier herumturnte, wart ihr ganz entzückt — und ich bekomme für das gleiche Prügel . . ."

Die Märchen sind ohne Gevatter Langohr auch nicht denkbar, ob es sich nun um den Dukatenesel handelt oder jenes Eselchen, das beim „Knüppel aus dem Sack" so viel ungerechtfertigte Prügel bekommt, oder den „Untermann" der Bremer Stadtmusikanten.

Aus der Kinderzeit ist mir noch der Anfang eines Liedchens geläufig:

„Der Kuckuck und der Esel, die hatten einen Streit:
wer wohl am besten sänge zur schönen Maienzeit.
Der Kuckuck sprach: ‚Ich kann es'!, und fing gleich an zu
    schrein.
‚Ich aber kann es besser', fiel gleich der Esel ein."

Rührend ist auch die kleine Geschichte von Karl Heinrich Waggerl in seinem Bändchen „Und es begab sich" vom störrischen Esel und der süßen Distel. Kurz gefaßt ist der Inhalt: Die Heilige Familie mußte überstürzt vor der Bosheit des Herodes fliehen, und das Eselchen wurde so hoch beladen, daß es unter seiner Last nicht mehr zu sehen war. Aber es empfand die Last gar nicht als solche, weil es ja dem Jesusknaben diente. Bei der abendlichen Rast stellte sich heraus, daß für den Esel kein Futter vorhanden war, es wuchs auch nichts außer ein paar Disteln im steinigen Geröll. Als der Esel vorwurfsvoll den Jesusknaben ansah, brach der eine Distel und reichte sie ihm. Der Esel war empört — so ein stacheliges Zeug konnte er doch nicht verzehren! Aber als er es versuchte, schmeckte die Distel nach süßestem Honigklee.

Um in den vollen Genuß dieser Erzählung zu kommen, muß man sie in Waggerls Originalsprache lesen.

Ich habe Ihnen nun viel vom Esel erzählt in diesen Kapiteln und denke, Sie werden das nette Tier mit neuen Augen betrachten. Würden Esel das Zehnfache von dem kosten, was man für sie bezahlen muß — sie würden sowieso dementsprechend höhere Wertschätzung genießen. Ohne die Zähigkeit, Genügsamkeit und Geduld des Esels wäre die Menschheit im Orient und in Südeuropa schlecht drangewesen — und wäre es sogar noch. Aber auch in unseren Breiten hat der Esel in manchen Handwerkszweigen den Hauptgehilfen gestellt, man denke nur an die Müller, die ohne ihre säcketragenden Esel gar nicht denkbar waren!

Daß nicht nur Kinder dem Charme des Langohrs erliegen, bewies mein Mann. Er hatte geschäftlich oft in Griechenland zu tun und war drauf und dran, mich mit einem kleinen Esel zu beglücken als „Mitbringsel". Ganze 50 Reichsmark kostete damals so ein Kerlchen — aber leider wurde nichts daraus. Leider . . .

Haltung, Pflege, Fütterung und Kauf

Große Ansprüche stellt ein Esel wirklich nicht, aber die bescheidenen Grundbedingungen, die für seine Haltung und Gesunderhaltung nötig sind, sollte man erfüllen — oder auf einen Esel verzichten.

Esel sind nässeempfindlich. Sie stammen ja auch aus sehr warmen, sogar heißen Ländern. Trockene Kälte vertragen sie schon, aber ein feuchter Stall, eine nasse Weide, die ohne jeden Windschutz ist — das macht sie krank.

Während der Sommerzeit genügt ihnen als Unterstand ein Schuppen, dessen Öffnung nicht zur Wetterseite liegen darf. Und er muß so groß sein, daß es auf keinen Fall hineinregnen kann! Im Winter braucht der Esel ein absolut trockenes, nicht zu großes Ställchen mit einer dicken, stets trockenen Strohschütte.

An die Weide stellt der Esel keine sehr großen Ansprüche, sie darf nur nicht sumpfig sein. An Grünem frißt er, was die Natur bietet. Wenn Sie ihn als Rasenmäher im Garten anpflocken, achten Sie genau darauf, daß er weder die Rosen, noch andere Blumenbeete, noch Hecken erreicht — ihm schmeckt buchstäblich alles!

Alle Gemüseabfälle aus der Küche, Kartoffelschalen, rohe oder gekochte Kartoffeln, altes hartes Brot (das aber selbst für den Esel nicht schimmlig sein darf!) verzehrt er gern. Geben Sie ihm zusätzlich ein paar Mohrrüben oder zerschnittene Äpfel, wird er sich im Eselparadies wähnen. Die Weide für Ihren Esel sollte aber doch mindestens einen halben Morgen groß sein, also *nur* von dem Rasen ums Haus kann auch Ihr Grauer (oder Schwarzer oder Brauner) nicht exstieren.

Im Winter braucht er als Grundfutter Heu, etwa so viel wie ein Shetlandpony. Ist der Grünauslauf zu klein, muß Heu auch im Sommer zugefüttert werden.

Seine Pflegeansprüche sind ebenfalls gering. Natürlich wollen Sie einen sauberen Esel haben und müssen ihn also hin und wieder putzen. Dabei werden auch die Hufe gesäubert, das Werkzeug ist das gleiche wie beim Pony. Seine eisenharten Hüfchen brauchen normalerweise keinen Beschlag, aber zum Schmied muß er schon hin und wieder, damit die Hufe berundet werden können. In Ausnahmefällen, wenn er täglich im Gespann auf harten Straßen läuft, wird er auch beschlagen werden müssen.

Selbstverständlich muß sein Geschirr genauso gut passen wie das des Ponys, und sein Wägelchen muß im richtigen Verhältnis zu seiner Größe stehen.

Als Reittier kommt er in unseren Breiten nur für kleine Kinder in Betracht. Und auch fahren werden ihn überwiegend Kinder, denn er trippelt zwar unermüdlich, aber nicht gerade sehr schnell dahin. Dabei geht einem Erwachsenen die Geduld aus.

Esel sind keine Mangelware. (Was gibt es da zu lachen? Ich spreche hier nur von Vierbeinern!) Darum sind sie auch durchaus erschwinglich. Nur die ganz kleinen Zwergesel unter einem Meter Widerristhöhe stehen höher im Preis, sie kosten etwa 600,— bis 700,— DM und kommen vorwiegend aus Sardinien.

Die aus Dalmatien eingeführten Esel sind ein bißchen größer, etwa bis 1,20 Meter, und dafür ein bißchen billiger, etwa 400,— bis 500,— DM ist ihr Preis. Sie werden verstehen, daß diese Angaben unverbindlich sein müssen, denn „feste Preise" gibt es nicht.

Wenn Sie ein Eselfohlen kaufen, dürfen Ihre Kinder es genau so wenig reiten oder fahren wie ein Ponyfohlen. Trotzdem lohnt sich der Kauf und die Geduld, die man aufbringen muß, bis das Tierchen etwas leisten kann, denn so ein von früher Jugend an in Menschengesellschaft aufwachsendes Eselchen wird zutraulich wie ein Hund. Und ein Zwergesel ist doch vorwiegend zum Spaß da, den aber macht das Esel*fohlen* natürlich in ganz besonderem Maße!

Alles in allem: viele Eltern werden sich, wenn die Voraussetzungen gegeben sind, rasch entscheiden, ihren Kindern einen so liebenswerten Gefährten aus dem Tierreich zu schenken.

Aber halt — übereilen soll man nichts. Wo so viel Licht ist, fehlt der Schatten nicht. Auch der Esel hat einen „Pferdefuß": Es ist seine Stimme.

Wenn Sie die noch nie gehört haben, gehen Sie in den nächsten Tierpark und warten Sie vor dem Eselgehege, bis einer Musik macht. Kaufen Sie keinen Esel, bevor Sie ihn haben schreien hören — das ist ein ganz ernsthafter Rat, der „aus gegebener Veranlassung" erteilt wird. Unendlich viele Eselchen mußten schon auf die Schnelle verschwinden, weggegeben um jeden Preis und egal wohin, nur weil die unmelodische und dazu noch laute Eselstimme an den Nerven der Nachbarn oder auch der ahnungslosen Käufer zerrte. Sie klingt wirklich nicht schön, das muß auch der größte Tiernarr zugeben. Wohnen Sie so, daß niemand außer Ihrer eigenen Familie in den Genuß dieser Musik kommt, ist das Problem halb so groß. Aber selbst dann sollten Sie sich geschlossen, also die ganze Familie, erst die Arien eines Esels anhören, damit Sie wissen, was Sie erwartet.

Wollen Sie nun trotzdem einen Esel?

Dann nehmen Sie eine Stute. Sie schreit nicht ganz so laut und nicht ganz so häufig wie ein Eselherr.

Literatur und Anschriften

Eine kleine Auswahl an Büchern, Zeitschriften sowie Anschriften, die den Pony- und Eselfreund interessieren, soll dieses Bändchen abschließen:

Dr. W. Uppenborn: „Ponys, Umgang und Haltung" (Ulmer); Dr. med. vet. H. Ende / Dr. med. vet. E. Isenbügel: „Die Stallapotheke" (Müller Rüschlikon); Chr. Lamparter: „Die Fahrlehre" (Selbstverlag); W. Hölzel: „Der Traum vom eigenen Pferd" (Franckh); U. Bruns: „Heißgeliebte Islandpferde", „Haflinger — Pferd der Freude", „Das Jahr der Pferde" (alle Müller Rüschlikon); R. Glynn / U. Bruns: „Das große Buch der Pferderassen" (Müller Rüschlikon); Chr. Weckbach: „Kleine Pferde — Großes Glück" (Müller Rüschlikon).

Sämtliche genannten Titel und noch viel mehr dazu bekommen Sie in jeder Buchhandlung.

Die bedeutendste Zeitschrift für den Ponyfreund ist die in Bonn erscheinende „Pony Post — Freizeit im Sattel". Hier werden Sie umfassend über alle Fragen der Haltung, Pflege, Zucht informiert, und zwar bei allen Ponyrassen. Erscheint monatlich.

Vierteljährlich gibt die Arbeitsgemeinschaft Deutscher Ponyzuchtverbände die Zeitschrift „Kleinpferdezucht" heraus.

Die Zeitschrift „Esel-Revue" erscheint monatlich. Sie wird vom Deutschen Esel-Zucht-Verband, 5431 Meudt-Ehringhausen, herausgegeben.

Quellennachweis

Brauchle, A. u. L.: „Große Liebe zu kleinen Pferden", Haug
Verlag 1949

Bruns, U.: „Heißgeliebte Islandpferde", Müller Rüschlikon
1962

„La Fontaine Fables", Librairie Hachette 1929

Glynn, R. / Bruns, U.: „Das große Buch der Pferderassen",
Müller Rüschlikon 1972

„Grzimeks Tierleben", Band XII, Kindler 1971

Keller, Otto: „Die antike Tierwelt I", Verlagsbuchhandlung
G. Olms 1963

Lamparter, Chr.: „Die Fahrlehre", Selbstverlag 1971

Uppenborn, Dr. W.: „Ponys, Umgang und Haltung",
Ulmer 1968

Waggerl, Karl H.: „Und es begab sich", Otto Müller Verlag
1953.